わたしたち、
海で
ヘンタイ
するんです。
海のいきもののびっくり生態図鑑
著 鈴木香里武
絵 友永たろ

JN206259

世界文化社

はじめに

両親に連れられ、0歳の頃から海に通い、そこで出会ういきものに慣れ親しんできた僕。気づけばそのふしぎな魅力にとりつかれ、今では**岸壁幼魚採集家**として活動しています。

海で出会って水槽で飼育して、成長する様子を観察して…。いきものたちのさまざまな生態に触れる中でも、とりわけ心奪われるのがそのドラマチックな成長過程。刻一刻と色や模様を変えていくもの、体の構造までもをがらりと変えてしまうもの…。

この本では、そんな彼らの驚くべき成長過程での変化の様子やユニークな生態を、**ヘンタイ・ヘンシン・ヘンテコ**という3つのトピックに分けてご紹介いたします。

ページをめくるごとに登場する海のいきものたちが、そのユニークな生態のおもしろさをみなさんに語ってくれることでしょう。

私たち人間から見るとびっくり仰天で摩訶ふしぎに思える生態は、彼らにとってすべて意味のあること。生きるための緻密な工夫が凝縮された、**ドラマチックで感動的な物語**をもっています。

それぞれの物語を読み進めていくうちに、生物用語の「変態」が愛すべき「ヘンタイ」に、見た目だけの「変身」が想いまで含んだ「ヘンシン」に、「奇妙な生態や行動」が心くすぐる「ヘンテコ」に、変わる瞬間が訪れるはずです。

さあ、3つの〝ヘン〟を入り口に、海のいきものたちの命の物語をのぞいてみましょう!

鈴木香里武

プロローグ 1

海のいきものも、じつはヘンタイするんです。

へんｰたい【変態】 成長過程で体の構造や形態が極端に変化すること。本書では特に、生活スタイルの変化に合わせて劇的な物語を描くいきものを扱う。おかしな人に対して用いる「変態」とは、意味が異なるので注意。

成長過程で姿が変わるのは、昆虫たちだけじゃない！

いきものが成長する過程で姿を大きく変えることを、「変態」といいます。

例えばアゲハチョウのような昆虫。幼虫は木の葉を食べて暮らしますが、やがてさなぎに姿を変えます。そして羽化した成虫は羽を広げて飛びまわり、花のみつを吸って生活します。その劇的な変化は、まさに驚異的！

このような「変態」を行うのは、昆虫だけではありません。海の中にも、成長過程で姿を変えるいきものがたくさんいるのです。

海のいきものの生活スタイル

浮遊（プランクトン）

自分で泳ぐ力をもたず、海流に漂って生活する。

遊泳（ネクトン）

自分で海を泳ぎまわり、自由に移動して生活する。

底生（ベントス）

海の底や岩などにくっつき、水底で生活する。

＊プランクトンやネクトンからベントスに変わることを「着底」といいます。

海のいきものの生活の仕方は、大きく3つに分けられます。海流に任せて漂ったり、自由に泳ぎまわったり、海底や岩場の上で過ごしたり…。（浮遊・遊泳・底生）

海のいきものの多くは成長とともにこの生活スタイルを変えるため、すむ場所や食べるもの、他のいきものとの関係性も変わります。

こうした生活の変化に合わせ、「環境になじむ姿」や「身を守る方法」を変える必要があり、彼らは体をつくり変えるのです。

この本では、**生活の変化に合わせて、成長過程で体の構造や形態が大きく変わることを、「ヘンタイ」と定義します。**海のいきものたちの、驚きのヘンタイ術を見てみましょう！

生活スタイルが変わり、体のつくりも変わる。これがヘンタイだ！

ヘンタイするいきものは第1章へ（14ページ）！ GO!

プロローグ 2

海の魚たちは、まるで別人にヘンシンします。

へん-しん【変身】 体の基本構造は変わらないが、成長過程で見た目が大きく変化すること。性別が逆転するものも含まれる。ヒーローと違い、ヘンシンしてもカッコよくなるとは限らない。ざんねんなヘンシンにも注目。

ヘンタイじゃないけど、親子で姿が変わる魚たち。

私たち人間の場合、こどもからおとなへの成長といえば「体が大きくなる」というイメージが強いでしょう。

しかし海の中には、**単に大きくなるだけでなく、同じ種類とは思えないほど親子で姿が変わる魚がたくさんいます。**

色や模様ががらりと変わるもの、成長するとツノやコブが出てくるもの、中には性別が逆転してしまうものまで…。海の中では、さまざまな魚たちの変身劇が繰り広げられているのです。

クイズ ?

うちの子、どーれだ？

上にいるのはお父さん・お母さん。下にいるのはこどもたち。どれがどの魚のこどもかわかるかな!? おとなたちの言葉がヒントになっているよ！

おとなの姿

タテジマキンチャクダイ

答えは60ページ

こどもの姿

E

成長とともに姿や性別が変わる。これがヘンシンだ！

彼らが変身するおもな理由は、「身を守るため」。ここで重要になるキーワードが「擬態」です。擬態とは、他のいきものの「まねっこ」をしたり、環境に溶け込んで「かくれんぼ」をすること。こども時代を擬態して過ごす魚はたくさんいます。

体が小さく泳ぐ力も弱い幼魚は、敵に食べられたり攻撃されたりする危険を避けるため、これらの変身術を駆使して過酷な海を生き抜いているのです。

この本では、**幼魚から成魚に成長するにつれ、見た目の印象が大きく変化することを「ヘンシン」と定義します。**華麗なる彼らのヘンシン術に、ぜひ注目してください。

答えは98ページ

コブはこどもにはついてまへん

コブダイ

答えは70ページ

キアンコウ

答えは80ページ

クネクネしたいきもののまねをしてます

アカククリ

答えは66ページ

A

B

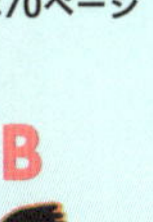

C

D

ヘンシンするいきものは第2章へ（58ページ）！ GO!

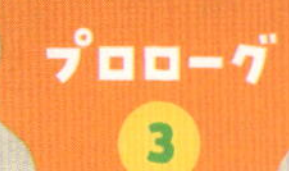

海のいきものは、かなりヘンテコなんですよ。

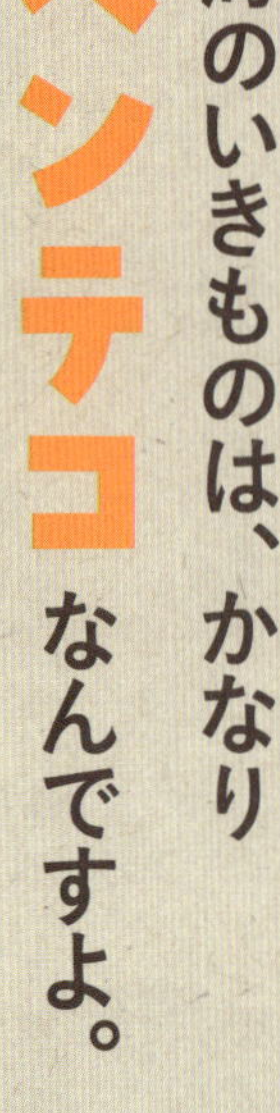
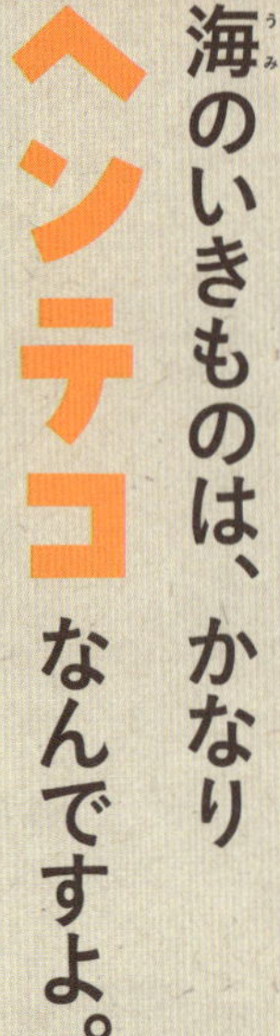

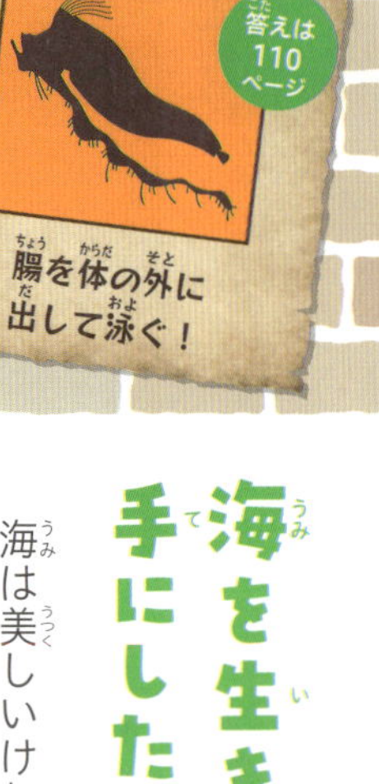

へんーてこ【変テコ】 思わず笑ってしまうものや、「なんでやねん！」とツッコミたくなるものなど、ユニークで一風変わった生態や行動の様子を指す。思わず感心してしまう特殊能力や、感動的なエピソードも含まれる。

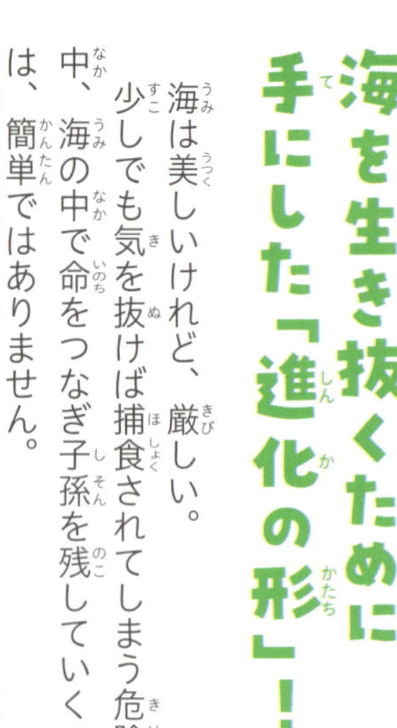

海を生き抜くために手にした「進化の形」！

海は美しいけれど、厳しい。

少しでも気を抜けば捕食されてしまう危険の中、海の中で命をつなぎ子孫を残していくことは、簡単ではありません。

厳しい環境を生き抜くには、みんなが同じ方法をとっていてはぶつかってしまいます。

同じものを食べていてはすぐに食べ物がなくなり、同じ場所に隠れていてはいっせいに敵に見つかり、絶滅してしまうでしょう。

クイズ ヘンテコ生物を追え！

ポスターに描かれたヘンテコないきものは何かな？答えのページを見て、シルエットの正体を暴こう！

WANTED
答えは146ページ
常に海藻のまねをしている！

そんな中、彼らは長い年月をかけ、それぞれが他のいきものとは違う生き方を模索してきました。彼らが選んだ道はどれも正解で、どれも魅力的なものばかり。

海のいきものたちのユニークでふしぎな個性は、彼らが生き残るために編み出した〝進化の結果〟です。

一見ヘンテコに見える生態や行動には、過酷な環境を生き抜くための知恵や工夫が詰まっているのです。

笑えて泣ける、海のいきものたちの愛すべきヘンテコぶり。ちょっぴり感動的なエピソードとあわせて、とくとご覧ください。

笑いと感動のヘンテコワールドへようこそ！

ヘンテコないきものは第3章へ（106ページ）！ GO!

もくじ

第1章 ヘンタイ

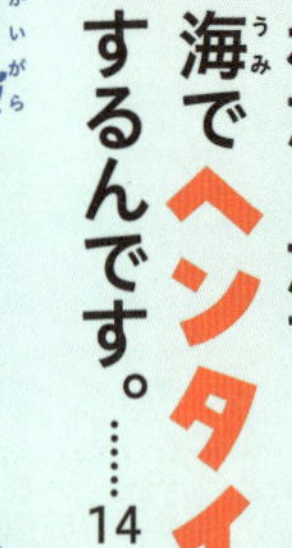

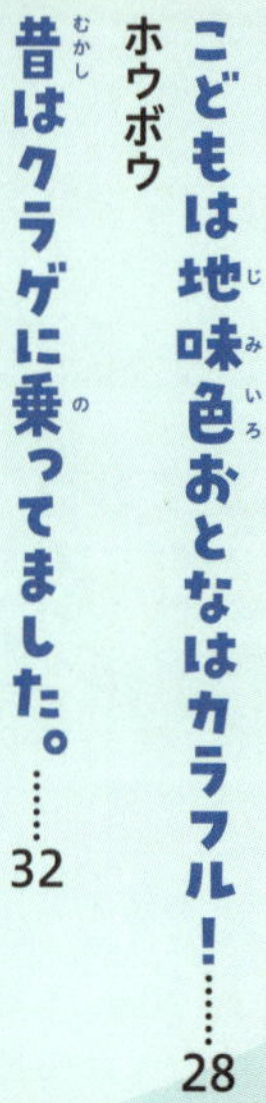

第2章 ヘンシン

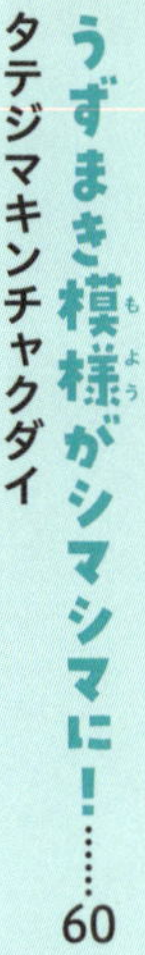

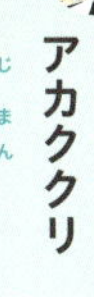
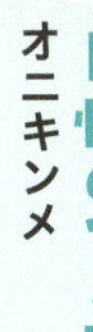

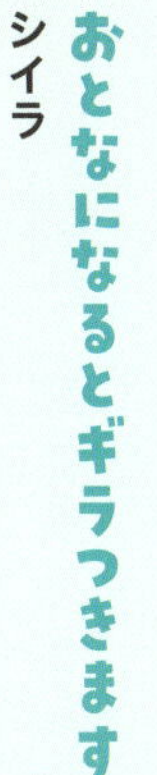
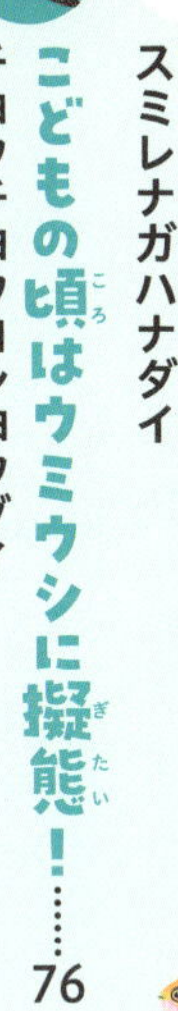

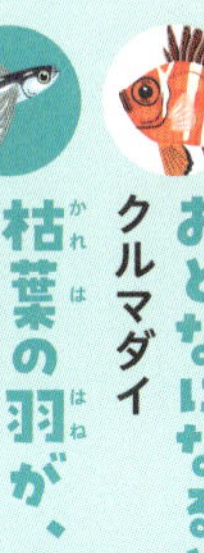

第3章 ヘンテコ

● 本書に登場するいきもののデータ（大きさや生息地など）は、複数の文献や研究資料・著者の飼育観察記録や取材記録をもとに記載しています。

● 注釈がある場合をのぞき、大きさは成魚・成体のサイズを記していますが、実際の大きさには個体差があり、数値は目安です。

● 魚類の大きさは全長（体の最前端から尾びれをすぼめた後端まで）と、体長（上アゴの先端から背骨の最後まで）などで表記しています。

第1章 ヘンタイ

わたしたち、海でヘンタイするんです。

昆虫が「変態」する様子はよく知られていますが、
海のいきものがヘンタイするのを見たことがありますか？
この章では、知られざる海のいきもののヘンタイの様子を大公開！
生活スタイルの変化に合わせ、
彼らがどんなふうに体のつくりを変えるのか見てみましょう！

動いて楽しい！ パラパラアニメ①

クリオネのお食事

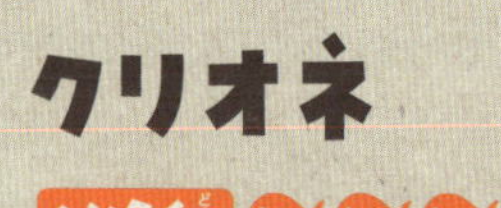

クリオネ

ヘンタイ度  MAX!

昔は貝殻をもってました。

和名	ハダカカメガイ
分類	腹足綱裸殻翼足目 ハダカカメガイ科
大きさ	体長2～4cm
生息地	北海道～東北、北極圏を囲む北太平洋・北大西洋

いきものメモ

パタパタと泳ぐクリオネは、じつは**巻貝の仲間**。成長とともに貝殻が退化して、泳ぎやすい体の構造にヘンタイしていきます。成体になった後にも、さらにダイヘンシンする彼ら。大好物の貝（ミジンウキマイマイ）を捕獲するとき、頭が割れて「**バッカルコーン**」と呼ばれる触手が飛び出します。まさに、天使から悪魔に早変わり。ちなみに「クリオネ」は、ギリシャ神話に登場する女神クレイオからとられた学名です。

ちょっと！
まだハダカじゃないですわよ！
壺のような形の貝殻。
おとなになるとなく
なってしまう。
こども

いやですわ、「ハダカカメガイ」だなんて名前。**生まれた頃はちゃんと貝殻をもっていたんですのよ。**失礼しちゃうわ。

でも、**あんな重いもの身につけてたら動きにくいじゃない？　おとなになったら不要ですわ。**

「流氷の天使」だなんていう愛称は、気に入ってますの。人間もあたしの魅力をわかってるみたいですわね。水族館でも大人気。常に見られる立場ですもの、いつも気高く上品でいないといけませんわね。**あっ、あれは…！　あたしの大好物のミジンウキマイマイ！**

だ、だめ…理性を保て…ない…。

（バッカルコ〜ン!!!）

クリオネのヘンタイ大図解！

第1形態

生まれたときのクリオネは壺状の貝殻をもっている。巻貝の仲間のこの時期は、**ベリジャー幼生**と呼ばれる。体の大きさは、0.1～0.15㎜。

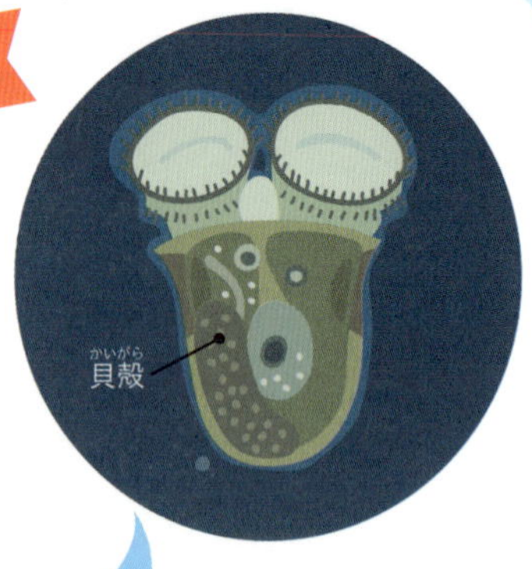

第2形態

約2週間で貝殻がなくなり、**多輪形幼生**になる。体の表面に生えた細かい毛（繊毛）を動かし、もぞもぞ泳ぐ。体の大きさは0.5㎜程度。

クリオネのヘンタイ

生まれたときは貝殻をもっているのに、成長すると失われるというのがクリオネのヘンタイの最大の特徴。貝殻をなくすことで、動きやすくする道を選んだのです。また、成長にともなって食性も変化。第1形態の頃は植物プランクトンを食べますが、第2形態になると肉食性に変わります。

●研究データ協力：東京農業大学生物産業学部教授 中川至純

パカッ！
バッカルコーン!!
食事をするときは頭が割れ、バッカルコーンという6本の触手が勢いよく飛び出す。これで獲物を捕まえて食べる。
食べ物を食べるときは
第4形態
これぞヘンタイ！
さらに…
パタパタ
パタパタ
第3形態
成体になると、翼足という羽のような部分を大きく羽ばたかせてパタパタと泳ぐようになる。

ウツボ

ヘンタイ度 🐟🐟🐟

第1章 ヘンタイ

和名	ウツボ
分類	硬骨魚綱ウナギ目ウツボ科
大きさ	全長80㎝
生息地	琉球列島を除く南日本、朝鮮半島、台湾の沿岸岩礁域

いきものメモ

ウツボやウナギ、アナゴなどが属するウナギ目の魚たちの稚魚は、**レプトケファルス幼生**と呼ばれます。これは「小さい頭」という意味で、その名の通り頭に比べて体が幅広く透き通っており、**葉脈標本のような姿**をしています。以前、夜の漁港で明らかにウナギやアナゴではない細長いレプトケファルス幼生を見つけました。誰の子かわからなかったため家で育ててみたところ、立派なウツボに成長。貴重な観察記録を残すことができました。

そう見つめるなって。憧れの視線に慣れているボクでもテレてしまうよ。え？　恐怖の視線？　あはは、ボクのこの落ち着いた存在感に、憧れを通り越して恐れを抱いてしまったんだね。

ボクだって昔は、フラフラしていたこともあったんだ。透明な平たい体で流れに乗って、広い海を漂って…。岩の隙間にどっしり構えるおとなの今もカッコいいけれど、流されてたこども時代も輝かしい青春さ。あの頃があるからこそ、こうして自信たっぷりに今を生きているんだ。だからキミも、そのままでいい…。

いや待って、話はまだ終わってないよ。話を流すのはまだ早いよ？

ウツボのヘンタイ大図解！

透明で平たいきし麺のような姿の**レプトケファルス幼生**。流れに乗って漂うだけでなく、体を大きくくねらせて泳ぐ。体の側面に黒い斑点が並ぶ。全長約11㎝。

ウツボのヘンタイ

ウツボのヘンタイは生活スタイルの変化からくるもの。レプトケファルス幼生は海流に乗って省エネに旅をするため、表面積を大きくして水の抵抗を増やしていると考えられています。透明なのは敵に見つかりにくくするため。成魚になると岩の間で暮らすため、どっしりとしたいかつい体形に変わります。

第3形態

体が太くなり、焦げ茶色のまだらな縞模様になる。大きく開く口には、鋭い歯が並ぶ。

第2形態

幼魚になると体は茶色で細長く、成魚の体形に近づく。ほとんどの魚は成長とともに体が大きくなるが、ウナギ目の魚は一旦体の幅が狭まり細くなる。全長約11㎝。

マンボウ

ヘンタイ度

こどもの頃はトゲだらけ！

和名	マンボウ
分類	硬骨魚綱フグ目マンボウ科
大きさ	全長3.3m
生息地	北海道〜九州、全世界の温帯〜熱帯の外洋表層

いきものメモ

つるりとした体でのんびり泳ぐイメージのマンボウですが、赤ちゃんの頃の姿はまるで**コンペイトウのよう**。まだ泳いで逃げる力も弱い稚魚は、こうしてトゲトゲによって身を守ろうとしているのですね。マンボウは**魚界の子宝ナンバーワン**。約3億個もの卵を産める体の構造をもっていると考えられています。それでも海はマンボウであふれてはいませんよね。努力むなしく敵に食べられてしまい、大きく成長できるのは、ほんのひとにぎりなのでしょう。

トゲトゲの姿もかわいいでしょう？
こども

こう見えて、わたしも昔はとんがっていたの。トゲを出して、他の魚ににらみをきかせてね。だって、戦っても勝てるわけないんですもの。敵に食べられないように、こどもの頃は見た目でつっぱっていたの。

でもね…食べられちゃうのよねぇ、これが。あんまり効果ないの、トゲ。まあ、こどもは体が小さいですものね。すごみが伝わらないのでしょう。

そんな中、わたしはここまで大きく成長することができたわ。おとなになった今じゃ、怖いものなしよ…と言いたいところだけど、今度は小さな寄生虫さんに悩まされているのよねぇ。はぁ…。

第1章 ヘンタイ

マンボウのヘンタイ大図解！

第1形態

体はまるく、全身が**大きなトゲ**で覆われていて、コンペイトウのよう。尾びれはなく、上下に背びれと臀びれがある。全長約5㎜。

第2形態

体が縦に長くなり、体の大きさに対して全身のトゲの大きさが小さくなる。尾びれの代わりに**舵びれ**ができ始める。全長約1.5㎝。

マンボウのヘンタイ

トゲトゲ姿から平たい体にヘンタイするマンボウ。第3形態では極端にお腹が膨らみ、成長するとへこむというのがふしぎです。また、多くの魚についている尾びれがなく、代わりに方向を変えるための舵びれをもつという特徴も。バランスよく泳げるように背びれと臀びれは対称に長く発達します。

これぞヘンタイ！
膨らんでいた腹部がへこむ。背びれと臀びれが長く伸びて、舵びれが大きく発達する。
ドーン!!
第4形態
第3形態
トゲはほとんどなくなり、腹部が大きく膨らむ。舵びれはまるみを帯びて背びれや臀びれとつながる。全長約6㎝。
ぷく〜っ

ホウボウ

ヘンタイ度 

こどもは地味色 おとなはカラフル！

おとな

和名	ホウボウ
分類	硬骨魚綱スズキ目ホウボウ科
大きさ	体長40㎝
生息地	北海道〜九州、朝鮮半島、東・南シナ海の砂底

いきものメモ

羽のような胸びれを広げ、海底を歩くホウボウ。昆虫ではなく、れっきとした魚類です。稚魚の頃は海面付近を漂っており、毎年春先になると漁港にもよく現れます。足のように進化したひれの先には**味蕾**と呼ばれる味を感じる器官があり、砂地を歩きながら、甲殻類や貝類、ゴカイなどの食べ物を探します。この姿から「這う魚（はううお）」が変化して「ホウボウ」になったといわれていますが、他にも「方々歩くから」「ボーボーと鳴くから」など諸説あります。

昆虫じゃないから！　僕、魚だからね。昆虫は羽が生えてるでしょ。僕を見て。**鮮やかな胸びれが羽みたいに広がってるのが自慢なんだ。**ほら、昆虫はさ、飛んでてもそのうち地面におりるでしょ。僕を見てよ。颯爽と泳いで、海底に着地…あっ、いやいや、昔は違ったから！　**こどものときは地味色だったし、ふわふわ海を漂ってたんだから！**

　昆虫にはさ、左右3本ずつ足があるじゃん。僕を見て。**この足、先っちょで味がわかるんだよ。**左右に3本ずつあってさ、海底を歩くだけで食べ物を見つけられるんだ。あれ、僕ってもしや昆虫…？

第1章 ヘンタイ

ホウボウのヘンタイ大図解！

第1形態

浮遊生活期の稚魚。体は黒い。胸びれは体に平行な形をしており、ひれの一部が進化した足のような部分はまだ未発達。全長約1.5㎝。

ホウボウのヘンタイ

プランクトン生活をする稚魚は、目立たないよう黒い体をしています。次第に胸びれが羽のように広がり、ひれの一部が足のように発達して海底で生活するようになります。成魚の鮮やかな胸びれは、敵に襲われたときに広げて驚かせるのに役立つと考えられています。生活スタイルの変化に合わせて、体の構造も、身を守る方法も変わるのです。

第3形態

成魚になると、体は赤っぽくなり、胸びれの内側は鮮やかな緑に青で縁取りされる。

第2形態

ひれの一部が足のように発達して着底した幼魚。胸びれが広がり内側が上を向く。体は黒っぽいが、胸びれの内側に青い模様が出始める。全長約4㎝。

セミエビ

ヘンタイ度

昔はクラゲに乗ってました。

和名	セミエビ
分類	軟甲綱十脚目セミエビ科
大きさ	体長30cm
生息地	相模湾以南、 インド～西太平洋

いきもののメモ

セミエビ科の幼生は、クラゲ類に乗って移動することから「**ジェリーフィッシュライダー**」※と呼ばれます。単に乗り物として利用するだけでなく、クラゲを食べることもあるようです。ずいぶんとちゃっかり者ですね。成長したセミエビは**夜行性**に。昼間は岩陰に隠れ、夜になると食べ物を求めて動き出します。ちなみに和名の由来は、成体の姿が昆虫のセミに似ていることから。イセエビのほうが有名ですが、セミエビもとてもおいしいため高級食材です。

※すべてのセミエビ類がクラゲ類に乗ると確認されているわけではありません。

俺がつっぱっていた頃の話をしよう。**ライダーだった俺は、よく深夜の海面を仲間とかっ飛ばしたもんよ。愛車はミズクラゲってんだ。**これがまた超遅いんだぜ。でも、自分で泳ぐより楽だろ。まわりはみんな、まじめに自分で泳いでたけどよぉ、俺はそんなダセェことはしなかったぜ。

それが今じゃ、俺もずいぶんまるくなったもんだ。いや、どっちかっつーと角張ったか? **愛車を降りて、自分で地道に歩くようになるなんてなァ…。**

でもよぉ、まだ反発心は残してるぜ? 昼間はゴロゴロ寝て、遊びに行くのは夜なんだぜ〜?

セミエビのヘンタイ大図解！

第1形態

透明な平たい体で浮遊生活をする**フィロソーマ幼生**と呼ばれる時期。クラゲに乗って移動する様子（33ページ参照）が観察されている。体の大きさは約5㎝。

セミエビのヘンタイ

ペラペラの体に、ぴょこんと飛び出た目。まるで宇宙生物のようなフィロソーマ幼生は、海流に乗りやすい体になっており、クラゲに乗らなくても浮遊することができます。飼育が難しいため、この姿からニスト幼生にヘンタイする過程は、いまだ謎のまま。成体になると、岩場に溶け込みやすい色や体形に変わります。

●研究データ協力：広島大学大学院統合生命科学研究科准教授 若林香織

第3形態

成体は体が赤茶色になり、厚みが増す。瞬発的に泳ぐときを除いて、しっぽをお腹側に折りたたんで歩く。

第2形態

浮遊生活から着底に移る中間の段階で、**ニスト幼生**と呼ばれる。形は成体に近づくが、体はまだ透明。体の大きさは約3.5㎝。

ミズクラゲ

ヘンタイ度 MAX!

第1章 ヘンタイ

赤ちゃんの頃、岩から生えてました。

和名	ミズクラゲ
分類	鉢虫綱旗口クラゲ目 ミズクラゲ科
大きさ	傘の直径10～30cm
生息地	北海道～沖縄、全世界

いきものメモ

夏になると漁港にたくさん現れるミズクラゲ。触手が短く、さほど危険なクラゲではありませんが、きちんと毒はもっています。肌の弱い部分にあたると痛みを感じることもあるので、**見かけても触らないように**しましょう。彼らには心臓がありません。代わりに“傘”を開いたり閉じたりすることで栄養や酸素を全身に送っています。まさに体全体が心臓のようなもの。**体の95パーセント以上が水分**ですが、無駄のない機能的な構造をしているのですね。

♪ここはどこ？ わたしは誰？
昔は クルクル 泳いでた
気づくと 岩から 生えていた
植物なの？
いいえ わたしはプランクトン

♪ここはどこ？ わたしは誰？
重なって 重なって
岩からポーン
ぐんと ぐんと 動いてポーン
動物なの？
そうよ わたしはプランクトン

♪セミエビに乗られても
魚の子につつかれても
文句を言わず 逃げもせず
フワッと生きる
そうよ わたしはプランクトン
みずみずしい ミズクラゲ

第1章 ヘンタイ

ミズクラゲのヘンタイ大図解！

第1形態

プラヌラ幼生と呼ばれる時期。楕円形で、体の表面の細かい毛（繊毛）を動かして回転するように動く。体の大きさは約0.2㎜。

岩に着地！

第2形態

プラヌラ幼生が岩などにくっつくとイソギンチャクに似た姿の**ポリプ**になる。触手でプランクトンを捕まえて食べる。体の大きさは約2㎜。

ミズクラゲのヘンタイ

動物なのに岩から生える時期をもつミズクラゲ。植物にたとえると、ポリプはつぼみの状態、ストロビラは花が咲いた状態と考えられますが、その花びらがはがれて泳ぎ出すというところがおもしろいですね。成体の有性生殖※1でプラヌラが生まれますが、ポリプやストロビラのときは無性生殖※2でクローンを増やすことができます。

※1 オスとメスの生殖細胞が合体することでこどもが増えること。
※2 分身の術のように、自分の体の一部からこどもを増やすこと。

これぞヘンタイ!!

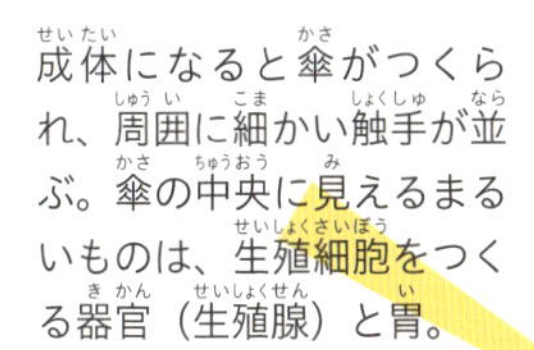

成体になると傘がつくられ、周囲に細かい触手が並ぶ。傘の中央に見えるまるいものは、生殖細胞をつくる器官（生殖腺）と胃。

第5形態

再びふわふわ泳ぎ出す

第4形態

ストロビラが1枚ずつはがれ、**エフィラ**として泳ぎ出す。触手は8本に分かれ、プランクトンを食べて成長する。体の大きさは約5㎜。

分身の術で自分を増やす!

第3形態

触手が吸収され、花びらが何枚も重なったような形の**ストロビラ**になる。枚数がどんどん増え、全体が動き始める。体の大きさは約5㎜。

ウニ

ヘンタイ度 MAX!

第1章 ヘンタイ

和名	ムラサキウニ
分類	ウニ綱ホンウニ目ナガウニ科
大きさ	殻径約5cm
生息地	秋田県〜九州、台湾、中国東南部の沿岸

いきものメモ

ウニといえばトゲに目がいきがちですが、トゲの間からは**管足と呼ばれる足のようなもの**がたくさん生えています。その先は吸盤のようにくっつき、これを使って歩きます。**体は5方向に放射状の構造**で、口は地面に接している下側の真ん中にあります。いわゆる顔に当たる部分がないため、どちらが前ということはないと思われていました。しかし最近の研究で、進む方向は決まっており、トゲの長さにも前後で違いがあることがわかってきました。

おいらも将来、トゲボールになるのだ!

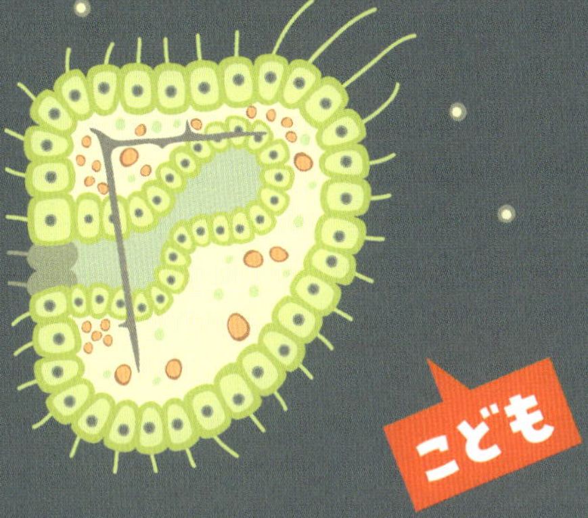

こども

君、オイラのこと、ただのまんまるトゲトゲボールだと思ってるでしょ。しかーし! **なんとオイラ、こどもの頃はおにぎりみたいな三角形だったのだ。**おとなに成長して、こんな形になったのだ。

そして! **こう見えて、オイラはじつは五角形なのだ。**トゲに覆われてるからわかりにくいけど、骨格と中身はヒトデみたいに5つの方向に広がっているのだ。

あっ! 今、前も後ろも右も左もないいきものだと思ったでしょ。

ところがどっこい! **じつは、ちゃんと前と後ろがあるのだ。**歩く方向には決まりがある。適当に歩いているわけではないのだ〜!

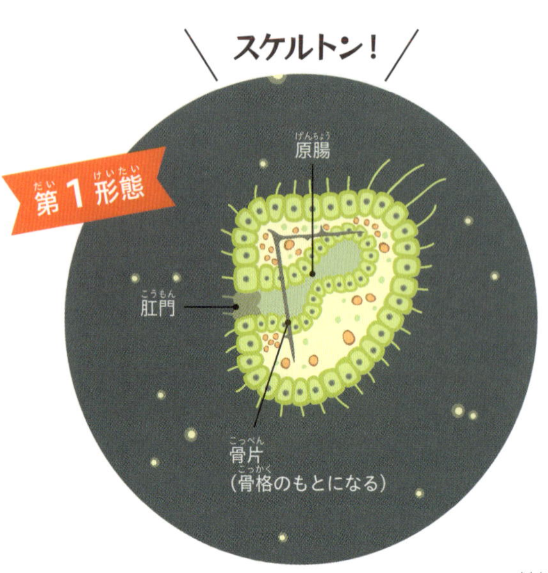

おにぎりのような、まるっこい三角形の姿は**プリズム幼生**と呼ばれる。袋状の原腸が伸びて口がつくられ、骨格のもととなる骨片が発達し始める。体の大きさは約0.15㎜。

ウニのヘンタイ

体の構造がみるみる変化するウニは、扱いやすく失敗しにくいため学校での発生実験によく用いられます。実験ではおもに卵の細胞分裂を観察しますが、その後のヘンタイしていく様子もとても興味深いもの。口ができていく過程や、生まれたての丸い形から三角形、そしてトゲトゲになっていく変化が劇的で、生命の神秘を感じます。

●研究データ協力：広島大学分子遺伝学研究室准教授 坂本尚昭

第3形態

全体が黒っぽい紫色のトゲに覆われた成体。体の下の真ん中に口、上の真ん中に肛門がある。岩などにくっついて生活する。

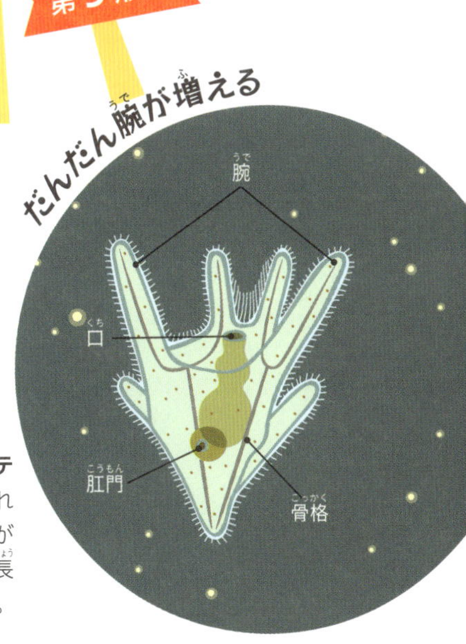

第2形態

さらにとがった三角形になる**プルテウス幼生**。成長とともに腕と呼ばれる構造が伸びる。海中を漂いながら、植物プランクトンを食べて成長する。体の大きさは約0.2～0.8㎜。

ホヤ

ヘンタイ度 MAX!

おとな

昔はしっぽを振って泳いでたんです。

和名	マボヤ
分類	ホヤ綱マボヤ目マボヤ科
大きさ	体長15cm
生息地	日本海、三陸～伊勢湾、大阪湾、瀬戸内海の沿岸

いきものメモ

ゴツゴツした植物のように見えるホヤ。じつは心臓をはじめ、さまざまな臓器をもつ立派な動物です。「**海のパイナップル**」と呼ばれ珍味として親しまれる彼らは、味覚の基本要素の5つ（甘味・塩味・酸味・苦味・旨味）を一度に感じられる珍しい食材だといわれます。十文字形をした入水孔を閉じたり、開いたりして海水を吸い込み、そこに含まれるプランクトンやその死骸などを食べるため、**海をきれいにするいきもの**としても注目されています。

えー、世の中には変わり者がいるもので、**置物みたいなあたしを食材にしようなんて**考えた人がいるんですね。海には他にもっとおいしそうなのがいるでしょうに、こんな趣味の悪い骨董品みたいな姿のあたしをですよ。

え？　生まれたときからこの姿かって？　いくらあたしでもそれはないよ。**こう見えてもこどもの頃はしっぽがあって、泳ぎまわってたんだ。**岩にくっつくと、体の構造がそれは見事に変わっていくわけですよ。**しっぽが吸収されて、今の体ができあがったんですね。**

つまり、尾の跡……。
お後がよろしいようで。

すい〜

第1形態

幼生は**脊索**（体の軸を支える棒状の器官）のあるしっぽをもち、自力で泳ぎまわる。その姿から、**オタマジャクシ型幼生**と呼ばれる。体の大きさは約1.8㎜。

体の中の様子

入水孔
（まだ開かない）
出水孔
（まだ開かない）
眼点
脊索
心臓原基
付着突起
（岩にくっつく部分）

ホヤのヘンタイ

はじめは魚のように泳ぎまわるホヤですが、一度岩にくっつくと、植物が根を張るようにその場に固定され、一生を過ごします。そのヘンタイぶりはすさまじく、成体は幼生時代の見る影もありません。ホヤは1匹の体の中にオスとメス両方の器官をもつ雌雄同体。卵と精子を交互に放出して海中で受精し、異なる個体どうしの有性生殖で増えます。

●研究データ協力：仙台うみの杜水族館職員 神宮潤一

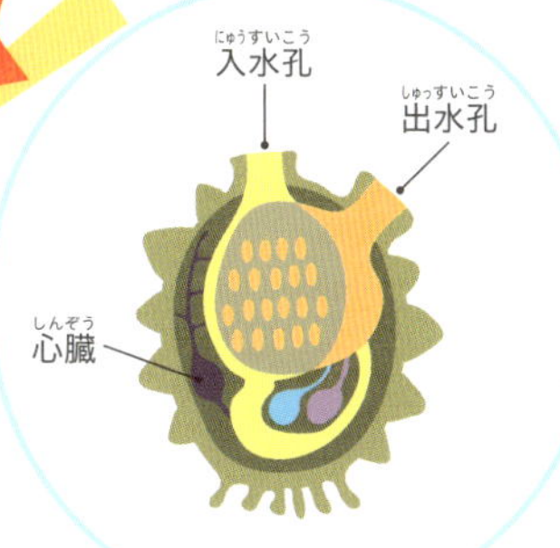

成体はしっかりした皮に包まれ、表面にイボイボができる。入水孔は体のてっぺんに移動し、脊索は完全になくなる。入水孔と出水孔が機能し始める。

岩などにくっついた幼生はしっぽが体の中に吸収されていく。10日以上かけて体の中身が90度回転し、入水孔が上側へ移動する。体の大きさは約0.35㎜。

シタビラメ

ヘンタイ度 MAX!

目も泳ぎ方も昔は普通でした。

和名	**ササウシノシタ**
分類	硬骨魚綱カレイ目 ササウシノシタ科
大きさ	体長14cm
生息地	青森県～九州、朝鮮半島、 東・南シナ海の浅海砂底

いきものメモ

フランス料理のムニエルでよく食べられるウシノシタ科の魚たち。シタビラメ（**舌平目**）という呼び名で親しまれていますが、目が左側に寄るという共通点はあるものの、ヒラメとはだいぶ異なる姿をしています。一方、**目が右側に寄る**ササウシノシタ科の魚たちは、成長してもさほど大きくならないため、一般的には食用にされません。ウシノシタ科は英語でも「タンフィッシュ（**舌の魚**）」と呼ばれますが、形や大きさが「牛の舌」のように見えることが和名の由来といわれています。

※牛の尾でいるより、鶏のくちばしになれ。つまり、大きな集団の中で下のほうにいるよりも、小さな集団であってもトップとなるほうがよいという意味のことわざ。

さあ、僕の目よ…
反対側へ突き抜けろ…！
こども

君たちの目の前には無限に広がる海がある。はじめは普通でもいい。そこからどう成長するかで未来は変えられるんだ。

みんなと同じじゃダメだ。恥ずかしいなんて気持ちは捨てて、**突き抜けろ！　僕の目のように突き抜けるんだ！**　その先には見たこともない景色が広がっている。

環境が変わっても、新しい世界に適応しろ。気合とひらめきでどんな壁も乗り越えられる。大地を踏みしめて、華麗に生きるんだ。

鶏口牛後※なんていうけど、もっと上を目指すんだ。牛の舌ぐらいの高みを目指せ！　君ならできる。僕は君を信じてるよ！

シタビラメのヘンタイ大図解！

生まれたばかりの仔魚は目が頭の左右にあり、体を縦にして普通の魚と同じように泳ぐ。全長約3㎜。

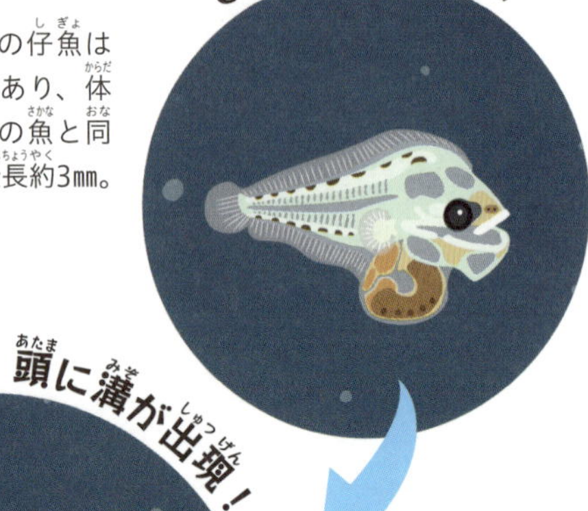

頭に溝が出現！

ヘンタイ途中の稚魚。頭に溝ができ、**左目が貫通**して右側に寄ってくる。全長約5㎜。

シタビラメのヘンタイ

両目が体の片側に寄るカレイやヒラメの仲間。生まれたときは目が左右についており、魚らしい姿で泳ぎます。ヘンタイ形態に入ると片方の目が反対側に移動してくるのですが、多くの種では顔の表面を移動するのに対し、ウシノシタの仲間の一部は、頭にできた溝を貫通するように目が移動するから驚きです。

目の移動完了!!

第4形態

成魚になると体は茶色のまだら模様になり、砂地に溶け込みやすい姿に。口の位置がわかりにくいが、食べ物を食べるときは下向きに開く。

だんだん寄り目に…

第3形態

目の移動が終わり、海底に着地した稚魚。薄茶色の体に、黒い点が並ぶ。全長約8㎜。

クジラウオ

ヘンタイ度 MAX!

ヘンタイすぎて別種かと思われてました。

メス

オス

おとな

いきものメモ

親子で姿が異なる魚は多くいますが、深海魚となるとその度合いは想像をはるかに超える場合があります。**長年、別のグループだと思われていた3つの科の魚**。トクビレイワシ科のリボンイワシは成魚が見つかっておらず、ソコクジラウオ科はオスばかり、クジラウオ科はメスばかりが見つかっていました。これらのDNAを調べたところ、なんとほぼ一致したことが2009年に発表されました。彼らは同じ仲間の幼魚、成魚のオス、成魚のメスだったと判明し、**ひとつのグループ（クジラウオ科）に統合**されたのです。

リボンのヒラヒラは今だけなの〜♪

ウチの娘、どっちに似てると思いますか？　わたしは間違いなく、母親似だと思ってるんですけどね。夫は「父親の俺に似てる」って言うんです。

まわりのみんなはもっとひどいんですよ。どっちにも似てないから、きっと親子じゃないんだなんて言うんです。**DNAまで調べられちゃって**、失礼しちゃうわ。

そもそも、わたしたち親子は別々に暮らしてるんです。**娘を浅い海に送り出して、わたしたちは深海から、彼女が新体操のリボン競技で活躍するのを応援してるんですよ。**そのうちきっと、わたしそっくりな姿になって深海へ下りてくるはずです。楽しみだわ。

トクビレイワシ科とされていた幼魚

尾びれがリボン状で、体の何倍も長い。細長い体のものや、お腹が膨らんでひれが大きいものなどが発見されている。

こんな子も発見されてる！

和名	リボンイワシ
分類	硬骨魚綱クジラウオ目 クジラウオ科
大きさ	全長80㎝
生息地	本州中部、高知県、インド洋、 北大西洋の外洋表層

クジラウオのヘンタイ

色や形があまりにも違うことはもちろん、尾びれから伸びるリボン状の部分まで含めると、幼魚の頃が一番大きいのですから、別種だと思われて当然ですね。どの種もなかなか見つからない珍しい魚なので、成長過程でどのように体がヘンタイしていくのか、どの種とどの種が親子関係なのかなどは、まだまだ謎につつまれています。

＼これぞヘンタイ！／ クジラウオ科とされていたメス

和名	クジラウオ
分類	硬骨魚綱クジラウオ目 クジラウオ科
大きさ	体長19cm
生息地	小笠原諸島、千島列島、 東太平洋の深海

大きな頭に小さな目。口は頭の後ろ端くらいまで大きく開き、クジラを連想させる姿。側線（レーダーのような役割をもつ体の側面の器官）が発達している。

＼これぞヘンタイ！／ ソコクジラウオ科とされていたオス

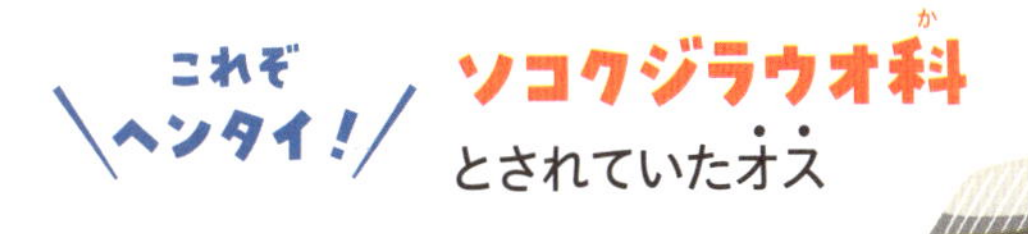

和名	ソコクジラウオ
分類	硬骨魚綱クジラウオ目 クジラウオ科
大きさ	体長5cm
生息地	沖縄諸島、千島列島、 南シナ海の深海

茶色っぽく細長い体つき。嗅覚器官が発達している。消化器官をもたないため食べ物をとることができず、肝臓に蓄えられた栄養で生きる。

わくわく！カリブ通信

岸壁採集探検記

初心者でもレッツトライ！

釣りや磯遊びなど、海のいきものに出会う方法はさまざまですが、より手軽に楽しめる「岸壁採集」をご存じですか？ ここでは、その魅力をたっぷりご紹介します！

網とバケツだけで楽しめる！

虫とり網を持って昆虫を追いかけるように、魚とり網を持って**漁港の海面にいる幼魚をすくう。それが「岸壁採集」**です。舞台となる漁港は潮の流れが穏やか。大きな魚もあまり来ないので、多くの幼魚が身を隠す宝箱のような場所です。岸壁採集の遊び方はとても簡単で、海面を凝視して〝違和感〟を探すだけ。しかし、身を守るために擬態している幼魚も多いため、闇雲に探してもなかなか見つからないかもしれません。

そんなときは、下に紹介している**「岸壁採集5つの心得」**を参考にしてください。

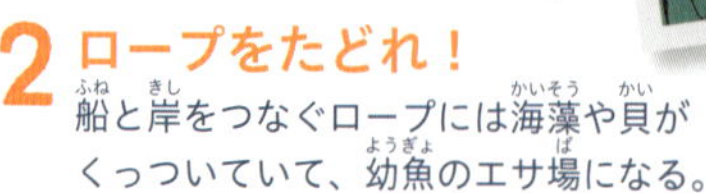

岸壁採集 5つの心得

1 流れ藻をすくえ！
大海原を流れる海藻はゆりかご。よく見ると幼魚が隠れている。

2 ロープをたどれ！
船と岸をつなぐロープには海藻や貝がくっついていて、幼魚のエサ場になる。

3 すみっこをのぞき込め！
陰になる漁港のすみには、暗い場所を好む幼魚が身を隠している。

4 クラゲを見つけろ！
触手の毒に守ってもらっている幼魚がくっついていることがある。

5 海面の波紋を見逃すな！
海面ギリギリを泳ぐ幼魚が生む波紋は、発見の道しるべとなる。

岸壁採集の最大の魅力は、「足場のよさ」と「道具のシンプルさ」です。岩場のようにゴツゴツしていない漁港は歩きやすく、釣具店に売っている網とバケツだけで多くの魅力的ないきものに出会えます。小さなお子さんからおとなの方まで、安全に楽しむことができるのです。

また、**季節によって現れるいきものが変わるのもおもしろさのひとつ。**季節ごとに見られる幼魚たちは、104ページで紹介しています。

その日の風向きと漁港の地形を読み、隠れている幼魚を違和感センサーで探す。そんな〝宝探し〟の旅へ、ぜひでかけてみてください！

〝足元の海〟で深海魚に会える!?

ふだんは深い海で暮らす深海魚。しかし、敵が少なくプランクトンが多く発生する夜になると、幼魚が食べ物を求めて浅瀬に上がってくることがあります。

おとなの深海魚に出会うのはなかなか難しいですが、幻のような深海魚の幼魚に〝足元の海〟で出会えるのも岸壁採集の奥深さ。

左の写真は、僕が実際に静岡県・西伊豆の漁港で出会ったとても珍しい深海魚です。

▲アカグツ
体長2.5㎝の稚魚。成魚はよく知られるが、この姿で記録されたのは世界初！

◀リュウグウノツカイ
体長3.5㎝の幼魚。成魚は5mにもなる。人魚のモデルともいわれる。

第2章 ヘンシン

わたしたち、まるで別人にヘンシンします。

ヘンタイとはちょっと違うけど、
おとなとこどもで姿がガラッと変わる魚たちがいます。
その理由の多くは、危険から身を守るため。
色や模様、さらには性別までもが変わってしまう彼ら。
この章では、似てない親子の華麗なるヘンシン劇を紹介します。

動いて楽しい！ パラパラアニメ②

タテジマキンチャクダイ

ヘンシン度 🐟🐟🐟

★ 6～7 ページのクイズの答え：A

うずまき模様がシマシマに！

やだやだー！　シマシマになんてなりたくないよぉ！　この模様がかわいいのにさ。ダイバーさんも水族館に来る人も、**みんな「うずまき」って愛称でかわいがってくれてるのにさ。**

大きくなるにつれて、うずまき模様の奥からシマシマ模様が浮き出てくるんだよ。模様がまざってきちゃうんだよぉ。

ああ、考えただけでもゾッとする…。でも人間は、僕らのヘンシンの途中経過を見て楽しむんだって。うえぇ、シュミ悪～！

「海でヘンタイする」なんて言うけどさ、人間たちのほうがさ、よっぽどヘンタイだよねぇ～？

和名	タテジマキンチャクダイ
分類	硬骨魚綱スズキ目キンチャクダイ科
大きさ	全長35cm
生息地	相模湾〜インド・中部太平洋のサンゴ礁・岩礁域

いきものメモ

キンチャクダイの仲間は縄張り意識が強く、同種が縄張りに入ってくると激しく攻撃して追い出します。これは狩場を守るための仕方ない行動ですが、弱い幼魚まで攻撃されてしまったら、種全体にとってよろしくないことに。**幼魚が成魚とまったく異なる色をしているのは、成魚どうしの争いに巻き込まれないため**と考えられています。ちなみに魚の模様は頭を上にした状態で判断されるため、ヨコジマに見える彼らはタテジマと名前がつけられています。

ダンゴウオ

ヘンシン度 

天使の輪っかは赤ちゃん限定！

見て、この天使の輪！ かわいいでしょ？ きれいでしょ？

でもね、**わたしが天使でいられるのはたった10日間※くらい。**この貴重な姿を見るために、ダイバーさんは冬の海に潜って一生懸命わたしを探すみたい。でも、**お腹の吸盤で海藻にペタッとくっついてるからなかなか見つからない**と思うわ。**海藻っぽい色で、尾びれも海藻っぽく揺らしてるもの。**ゆら、ゆらってね。

今はいいの、見つかっても。でも、天使じゃなくなったらあんまり見られたくないの。だから**大きくなったら、もっと海藻のまねするわ。**ゆら、ゆらってね。

※天使の輪が消えるまでの日数は水温によって異なり、高水温だと短く、低水温だと長くなります。

和名	ダンゴウオ
分類	硬骨魚綱スズキ目ダンゴウオ科
大きさ	体長2cm
生息地	千葉県～三重県の太平洋沿岸の水深20m以浅

いきものメモ

春が近づく頃、浅場のカジメなどの藻場に現れるダンゴウオの赤ちゃん。ほんの数ミリの小さな体をよく見ると、**頭に白い輪のような模様**があります。成長すると輪は消え、赤や緑、茶色など**環境に合わせて体がさまざまな色にヘンシン**。成魚のオスとメスを比べると、オスの背びれはトサカのように発達していますが、これは卵を守るためだと考えられています。表情やしぐさがかわいらしいので、ダイバーさんや僕たち岸壁採集家に大人気な冬の海のアイドルです。

チョウチョウウオ

ヘンシン度 🐟🐟

赤ちゃん時代は兜かぶってます。

拙者もそろそろ兜を脱ぐとするか。食べ物のプランクトンを求めて果てなく広がる海面を漂う生活はじつに大儀であった。**昔は渋い光沢のあった体も、今ではすっかり黄ばんでしまったな。**

旅の途中で何度曲者に出会ったことか。戦国の世、**身を守ってくれると思い兜をかぶってみたが…。**正直この兜はあまり役に立たぬ。大きな敵には何の効果もなく、丸飲みされそうになったわ。

領地拡大を目指す放浪の旅は若いもんに任せて、**流れの穏やかな岩場にでも隠居しようかの。**

…といっても拙者、まだ赤ん坊であったな！

和名	アケボノチョウチョウウオ
分類	硬骨魚綱スズキ目チョウチョウウオ科
大きさ	体長18cm
生息地	千葉県〜インド・西太平洋のサンゴ礁・岩礁域

いきものメモ

チョウチョウウオの仲間は稚魚の頃、**頭が硬い骨格で覆われて**います。まるで兜をかぶっているように見えますが、成長するとだんだん消えていきます。**トリクチス幼生**と呼ばれるこの時期は、浮遊生活をするプランクトン。暖かい南の海から海流に乗って関東の海まで流れてきます。海水温が下がると死んでしまうため「**死滅回遊魚**」と呼ばれていましたが、最近は冬を越すことができる個体も増えているため、「**季節来遊魚**」と呼ばれるようになっています。

アカククリ

ヘンシン度 MAX!

★6〜7ページのクイズの答え：B

こどもの頃はヒラムシに擬態！

今ね、わたしが幼かった頃の写真を見返してるんですけどね、いや〜これはいかにもマズそうですね。**食べられないように、ヒラムシのまねをしてましたから。**色だけでなく、ヒラヒラクネクネした泳ぎ方までね。**今では体も大きくなりましたから、まねなどせず立派に生きていますけど。**

でも、ややこしい名前ですね。これでは幼魚が主役のようです。実際、幼魚のほうが圧倒的に人気ですが、これも不服ですね。もう別種として生きていきたいくらいです。**むしろ、〝アカククラズ〟に改名したいですよ。**

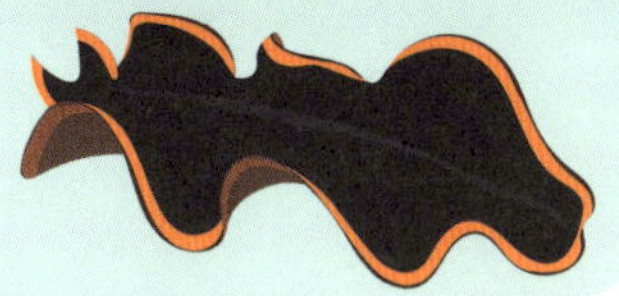

ヒラムシ
毒をもっていたり、
食べてもまずかったりする。

和名	アカククリ
分類	硬骨魚綱スズキ目マンジュウダイ科
大きさ	体長30cm
生息地	奄美大島〜インド・西太平洋、紅海のサンゴ礁域

いきものメモ

アカククリのように、自分は毒をもっていないけれど、有毒だったり食べてもおいしくない他のいきものの見た目をまねして、敵に食べられないようにする方法を「**ベイツ型擬態**」と呼びます。体に毒を備えるのも、見た目や動きを有毒生物に似せるのも、身を守るための驚くべき進化。アカククリは、成長するとまったく違うスペード形の銀色の魚にヘンシンします。成魚には赤い部分がまったく見あたらないので、「アカククリ」という名前が不服なのも納得です。

オニキンメ

ヘンシン度 MAX！

自慢のツノはこども限定！

オイラ、やんちゃな鬼っ子だい！　浅い海を気ままに漂ういたずらっ子だい！　でも、オイラの**自慢の鬼のツノ、大きくなるとなくなっちまうのさ。**でも、まるくなんてならないよーだ。**ツノの代わりに、鬼みたいな恐ろしい顔になっちまうんだい！**

でもね、「鬼顔なのにかわいい」って、おとなになっても言われるんだ。キンメダイの仲間なのに目はちっさくて金色じゃないし、歯が長すぎて口閉じないし、体は黒くてどーんとしてるけど、胸びれをめっちゃパタパタ動かして泳ぐんだ。**オイラ、深海のギャップ萌えナンバーワンなんだい！**

和名	オニキンメ	大きさ	体長9cm
分類	硬骨魚綱キンメダイ目オニキンメ科	生息地	全世界の深海

いきものメモ

コワモテの深海魚のオニキンメですが、小さい頃はずんぐりとしたかわいらしい姿。**和名の由来となった鬼のようなツノ**は、成長するにつれて小さくなります。英名では、よほど成魚の歯が印象的だったのか「ファングトゥース(牙歯)」と名づけられています。稚魚は表層でプランクトン生活を送ると考えられていますが、生きた状態ではほとんど見つからないため、まだまだ謎多き魚。**親とあまりにも姿が違うので、昔は別種として登録**されていました。

コブダイ

ヘンシン度 MAX!

★6〜7ページのクイズの答え：C

いかついコブはイケメンの証。

頭 ぶつけたんと違いますがな。痛そうとか言わんといてください。**こう見えて小さい頃はスマートでかわいい女子だった**んですわ。**赤い体に白い線がおしゃれで、コブもなかった**んですわ。

ブサイクとか言うとりますけどね、**コブが大きいほうがモテる**んですわ。いわばこれは男の象徴。ほら、長生きするほどコブも大きくなりますやろ。わたしらはね、子孫を残すために他のオスと戦わないといかんのですわ。噛みつくなんてしませんがな、にらめっこするんですわ。**そんとき比べるのが、口とコブの大きさ。**こんな顔して、平和主義ですやろ？

和名	コブダイ	大きさ	体長1m
分類	硬骨魚綱スズキ目ベラ科	生息地	北海道～九州の日本海・太平洋沿岸、朝鮮半島の岩礁域

いきものメモ

コブダイを含むベラの仲間の多くは、生まれたときはみんなメス。成長するとオスになる「**雌性先熟**」と呼ばれる魚たちです。基本的には温厚な性格ですが、繁殖期のオスたちはメスをめぐって戦います。オスどうしはライバルではあるけれど、敵ではありません。強靭な歯で噛みついたら大怪我をしてしまうため激しい攻撃はせず、**口やコブの大きさで競い合います**。ちなみにこのコブの正体は脂肪の塊。触るとプニプニしていて案外やわらかいです。

第2章 ヘンシン

シイラ

ヘンシン度 🐟🐟🐟

おとなになるとギラつきます。

どけどけ〜シイラ様のお通りだ。道開けないヤツは食っちゃうぞ！　俺様は2メートルにもなる巨大魚だぞ。**今は小枝の先っちょみたいだけど、いずれなるんだぞ。海の表層をビュンビュン泳ぐスピードスターに！**　今は流れ藻に寄り添ってゆらゆら浮かんでるけど、いずれなるんだぞ〜！　**青緑の背中に黄金のお腹、ギラギラのゴージャスな魚。今は地味なシマシマ模様だけど、いずれなるんだぞ！**　オラオラ〜どかないとお前のことも食っちゃうぞ！　今は小エビくらいしか食べられないけど、いずれお前も食っちゃうほど大きくなるんだぞ〜！

和名	シイラ	大きさ	体長2m
分類	硬骨魚綱スズキ目シイラ科	生息地	全世界の暖海の沖合表層

いきものメモ

ハワイでは**マヒマヒ**と呼ばれているシイラ。食卓であまり目にしないイメージですが、白身魚のフライとしてハンバーガーに入っているなど、気づかないうちに口にしている魚です。幼魚の頃からすごい食欲をもつ**アクティブな捕食者**で、岩壁でシイラの幼魚を見かけるといつもトビウオの幼魚を追っています。成魚のトビウオが飛ぶ理由のひとつは、このシイラから逃れるためともいわれており、トビウオは幼魚も成魚もシイラの脅威にさらされているようです。

スミレナガハナダイ

ヘンシン度 MAX!

パパは湿布が欠かせません。

お父さんは働きすぎです。いつも体が痛いようです。なぜか、毎日湿布を貼ってます。しかも、すっごく大きな正方形で、ピンク色の目立つ湿布です。

肩とか腰とかならまだしも、貼ってる場所は体の両側。よりによって一番見た目がざんねんな場所に貼ってるんですよ。

昔は湿布なんて貼ってなかったのに…。気づいたらなんかモヤッとした湿布を貼り始めてて、それがどんどん広がっていって…。

わたしも大きくなったら、湿布貼らないといけないのかなぁ。ちょっとダサいから、ヤだなぁ…。

和名	スミレナガハナダイ
分類	硬骨魚綱スズキ目ハタ科
大きさ	体長9cm
生息地	駿河湾～琉球列島、西太平洋のサンゴ礁・岩礁域

いきものメモ

ベラの仲間と同じく、ハナダイの仲間もメスからオスへ性転換します。中でも、特にふしぎなヘンシンを見せるのがスミレナガハナダイ。オスになると、なぜか**湿布のような正方形の模様**が現れます。オスが色鮮やかになるおもな理由はメスに対するアピールですが、繁殖期になると婚姻色と呼ばれる色味にさらに変化。顔に赤や紫の鮮やかな模様が現れるのですが、湿布模様はやっぱりそのまま。彼らは一体、この湿布模様で何を伝えようとしているのでしょうか。

チョウチョウコショウダイ

第2章 ヘンシン

ヘンシン度

こどもの頃はウミウシに擬態！

この水玉のわざとちょっとずらした感じ。この絶妙なデザイン。え、わからないの？ ダメねぇ、最近の若い人は。まぁ、わたしも幼魚だけどね。**ただクネクネ踊ってるだけ**だと思ってる？ 違うわ！ わたしはね、**感性を爆発させて全身で表現**してるのよ。

…は？ 美しさなんかじゃないわ。**わたしのテーマは毒よ、毒々しさ！ 絶対食べたくないっていう嫌悪感**、そこが大事なのよ。

ちょっと、何？ あそこにいる点々模様の魚！ ひどいセンスね…あれには絶対なりたくないわ。

ええっ!? あれ、わたしの成長した姿なの!? うそでしょ…？

ヒョウモンウミウシ
毒はもっていないが、
毒々しい模様のウミウシ。

和名	チョウチョウコショウダイ
分類	硬骨魚綱スズキ目イサキ科
大きさ	体長35㎝
生息地	鹿児島湾～琉球列島、インド・西太平洋の岩礁域

いきものメモ

幼魚は模様も動きも、**毒をもっていたり食べてもおいしくないウミウシやヒラムシにベイツ型擬態**していると考えられています。幼魚のクネクネした泳ぎが、昆虫のチョウが舞う姿に似ていることから、この名前がつけられました。しかし、成長するとチョウの面影はなくなり、さらに毒々しい柄に。この細かい点々模様がこしょうを振ったように見えることからコショウダイ。幼魚と成魚、両方の特徴が名前に入っているなんて、おもしろいですね。

テングハギ

ヘンシン度 

お飾りのツノが生えてきます。

僕の父さん、最近ちょっとテングになってるみたい。英語でユニコーンフィッシュなんて呼ばれてるから幻の魚気取りなのか、調子に乗ってると思う。

鼻が伸びてカッコいいねって褒めたら、「鼻じゃねーよ、おでこだよ」って言われた（怒）。

ここだけの話なんだけどさ、父さんのおでこのツノ、見せかけだけのお飾りなんだ。カジキのツノみたいに振りまわして獲物を仕留めるわけでもないし、戦いに使うわけでもないんだよ。

ププッ…、だってさ、ツノより口のほうが前に突き出てんだもんね！　ププププ…（笑）。

和名 テングハギ

分類 硬骨魚綱スズキ目ニザダイ科

大きさ 体長50㎝

生息地 南日本～インド・太平洋のサンゴ礁・岩礁域

いきものメモ

近い仲間であるツマリテングハギやヒメテングハギは、ツノが長く伸びてカッコよく見えるのに対し、テングハギは口より前にはツノが伸びません。そのため、ちょっとひょうきんな顔立ちに。ツノは武器にはなりませんが、代わりに**尾びれのつけ根に2つのトゲのように鋭い骨質板**をもっています。ツノの役割はよくわかっていませんが、求愛や社会行動の信号として使われているのではないかとする研究もあります。

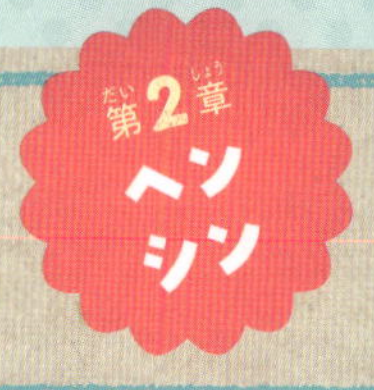

キアンコウ

ヘンシン度 MAX!

★6〜7ページのクイズの答え：D

優雅な妖精がボロぞうきんに!?

どうせ僕なんて、汚いボロぞうきんですよ。**小さい頃はヒラヒラの服を着て舞い踊っていたけど、今じゃもう人目につかない海底で、砂に擬態してる影の薄い古じゅうたん**ですよ。

泳いで食べ物を探すのはもう疲れました。**こうしてじっと気配を消して、通りかかった魚を食べるほうが楽**です。楽して生きてるんですよ。美しさは捨てました。履き古された靴みたいなもんですよ。

え？　ちょっと待って。汚いボロぞうきんとか言われるのは全然平気ですけど、**アンコウのヤツと一緒にされるのは心外**だな。それだけは許せませんよ？

和名	キアンコウ
分類	硬骨魚綱アンコウ目アンコウ科
大きさ	全長1～1.5m
生息地	北海道～九州の日本海・太平洋沿岸、黄海、東シナ海の砂泥底

いきものメモ

妖精のように浮遊生活を送る幼魚は、大きくなるとだんだん海底へ移動し、ギョッとするような面構えにヘンシンします。じつは、アンコウとして料理屋さんで出されているものの多くはキアンコウ。本家アンコウよりも体が大きくおいしいため、食材としての価値が高いとされています。見分け方は、口の中に水玉模様があるのがアンコウ、ないのがキアンコウ。身だけでなく、肝・胃・卵巣・皮などすべてが食材になるため、**「七つ道具」と呼ばれ重宝**されます。

ミナミハコフグ

ヘンシン度

かわいい水玉はこどもだけ！

世界はバランスで成り立っておる。何かを得れば、何かを失う。ワシもそうじゃ。昔は幸せの黄色いハコフグなどと呼ばれておった…。**美しい黄色の体にサイコロのような水玉模様。**そのかわいらしさから、ダイバーたちに大人気じゃった。**しかしそれは、まだ泳ぎが苦手で敵から逃げる力がなかったゆえの武装でもある。**危険信号のような配色と、目を守るための水玉模様じゃ。

成長した今はもう、色や模様で身を守る必要はない。じゃが、その代償がこの見た目じゃ。もはや誰もかわいいと言ってくれぬ。世の中、うまくいかないものじゃ…。

おとな（メス）

メスの体は黄色いまま、黒い斑点の内側から白い斑点が出現。

和名	ミナミハコフグ	大きさ	全長40cm
分類	硬骨魚綱フグ目ハコフグ科	生息地	房総半島〜琉球列島、インド・太平洋のサンゴ礁・岩礁域

いきものメモ

ミナミハコフグは幼魚の頃、目と同じ大きさの水玉模様を全身にちりばめています。どれが本物の目かをわかりにくくし、**敵から身を守っているのです**。成長すると自信をつけるのか、カモフラージュの水玉はなくなっていき、オスはロボットのような見た目に様変わり。メスは黒から白の斑点模様に変化します。全身は硬い骨格に覆われ、さらに**敵から攻撃を受けると、パフトキシンという毒を放出**。成魚も身を守ることに徹しているのですね。

エボシダイ

ヘンシン度 🐟🐟

腹びれの扇子はお子様用です。

これ、この青い水餃子みたいなの、麻呂の用心棒でおじゃる。これは電気クラゲの異名をもつ猛毒クラゲ、カツオノエボシといいますのや。**彼のそばにいれば大きな魚は近づけまへん。麻呂は絶対食べられまへん。**ほんまにカツオノエボシはんには感謝してますのや。ま、お腹すいたら食べますけどね、触手。おほほ〜。

ほう、この扇子が気に入ったんか？ 雅やかじゃろ。今のうちにしかと見ておくがよい。**麻呂が大きくなって深海に下るときには、手放してしまいますのや。**

まさに都落ちでおじゃるな。これ、笑うでない！ 冗談じゃや！

和名	**エボシダイ**
分類	硬骨魚綱スズキ目エボシダイ科
大きさ	体長24cm
生息地	銚子～土佐湾、全世界の熱帯～亜熱帯の深海

いきものメモ

幼魚の中には、身を守るために自ら毒クラゲの触手の間に隠れるものがいます。エボシダイは、特に**毒の強いカツオノエボシの触手**をすみかとします。彼らにとっての大切な家…かと思えば、触手を食べる行動も見られるとか。彼らはクラゲに刺されないのではなく、クラゲの**毒に対して免疫をもっている**そうです。また、扇子のように広がる美しい腹びれも彼らの特徴。表層でバランスをとるために役立っているようですが、深海に行く頃には小さくなります。

第2章 ヘンシン

コクハンアラ

ヘンシン度 

こどもの頃はフグに擬態！

詰めが甘いなんて言わんといてくださいよ〜。**僕がまねしてるシマキンチャクフグさんはフグの仲間で、僕はハタの仲間。**フグとハタの違いですよ？　種類が全然違うんですから、そりゃ、似せるにも限界がありますって！　え？　**ノコギリハギさんの擬態は完璧**だって？　彼は同じフグ目でしょう？　くらべんといてくださいよ〜。

なんせね、僕は成長したら、まるっきり別の姿になるんですから。**ものまねしてるのは幼魚のときだけ。大きくなったら、コワモテのタフな魚になるんです。**長い目で見といてくださいよ〜。

シマキンチャクフグ
体に毒をもっているが、皮膚からも毒を出すといわれている。

和名	コクハンアラ
分類	硬骨魚綱スズキ目ハタ科
大きさ	全長1.2m
生息地	小笠原諸島〜琉球列島、インド・太平洋のサンゴ礁・岩礁域

いきものメモ

アカククリ（66ページ）やチョウチョウコショウダイ（76ページ）では、ウミウシ類へのベイツ型擬態を紹介しました。コクハンアラのように、**他の魚の姿をまねるもの**もいます。**特に毒をもつシマキンチャクフグ**は、擬態先として大人気。ハタの仲間のコクハンアラだけでなく、カワハギの仲間のノコギリハギからもまねされています。しかし、フグとハタは分類上かなり離れた魚。色や模様はまねできても、体のつくりまで似せるのは限界があるようです。

クルマダイ

ヘンシン度

おとなになるとまっかっか！

記者：最近寝てないでしょう。カーレースの練習のしすぎでは？

クルマダイ：目が充血してるって？　違う違う、**暗い海でもコースがよく見えるように目を大きくしてるだけですよ。**このまんまるの目がかわいいって、チームメンバーから人気なんですよ？

記者：チームの運営がブラックだ…という噂は、本当ですか？

クルマダイ：体が黒いだけに？　はっはっは！　ご安心ください。**本当のわたしはブラックではありませんよ。成長するとまっかになります。**ブラックじゃなくて、レッドです。えっ、ますますアウトですか!?　レッドカードですか!?

和名	クルマダイ
分類	硬骨魚綱スズキ目キントキダイ科
大きさ	体長18cm
生息地	相模湾～琉球列島、東インド・西太平洋の岩礁域

いきものメモ

深場に赤色の魚が多くいる理由は、自らの身を守るため。水は赤の光をよく吸収する性質があるので、深海に行くほど赤色は吸収されて見えにくくなります。人間から見ると赤い色に見えますが、それは赤色の光を反射しているから。深海のように赤い光自体が少ない環境では、赤い光が反射されにくいため赤色は見えず、むしろ暗闇に溶け込めるのです。もちろん、黒い魚も目立ちにくいですが、こちらは影として見えてしまうことがあります。

トビウオ

ヘンシン度

枯葉の羽が、きらめく羽に！

ぼくたち、ちびっ子探検隊！　未知なる世界を求めて今日も冒険へレッツゴー！（ピョン）

わぁお、今日はいつもより遠くまで飛べたぞ！　**体が小さくたって、まだ羽が枯葉の端っこみたいだって、立派に飛べるもんね。**

わ〜、ここはまだ足を踏み入れたことがない海域だぞ。**さっきの場所から20センチも離れてる。**

この調子でもっと遠くへ…あれ？　今日は流れが強いみたいだ。あっという間にさっきいた場所まで流されちゃった。負けるもんか！

もう一度、えいっ！（ピョン）

わぁお、22センチも飛べたぞ！

わ〜、ここはまだ足を…（以下略）

和名	**ツクシトビウオ**	大きさ	全長35㎝
分類	硬骨魚綱ダツ目トビウオ科	生息地	北海道〜九州、朝鮮半島の沿岸表層

いきもの メモ

トビウオは驚きの進化を遂げています。羽のように広がる胸びれや、バランスをとる腹びれ。そして尾びれは二股に分かれた下側が長く伸びています。これを左右に振ることで体が上を向き、海面を蹴って強く飛び立つことができるのです。成長した**おとなは銀色に輝き、100メートル以上飛び**ますが、2センチほどの小さな**幼魚も網ですくおうとすると、ピョンと数十センチ飛んで逃げます**。枯葉のような体でも、きちんと飛べるようになっているのです。

イトヒキアジ

ヘンシン度

糸を引くのはお子様なんです。

「ふっ、人間はまだ知らないようだな。漁港のボスが一体誰なのか。オニカマスだぁ？ ヤツは鉄砲玉みたいなもんだ。ゴンズイだぁ？ ヤツらは触らなければ単なる烏合の衆だ。**…そう、わたしこそが陰で糸を引く黒幕。**岸壁から網がギリギリ届かない絶妙な距離を保ち、いかにもすくえそうな泳ぎを見せ、瞬時に方向転換して惑わす…。**人呼んで、イトヒキのアジ!!」**

…なんて、言ってた時期もあったんスよ。若気の至りってやつっスかね。今じゃそんなキャラ、演じてませんって。**もうおとななんで、糸引くのはやめたんスよ。**

和名	イトヒキアジ
分類	硬骨魚綱スズキ目アジ科
大きさ	体長1m
生息地	北海道～九州、全世界の熱帯海域の沿岸表層

いきものメモ

夏の漁港の風物詩、イトヒキアジの幼魚の群れ。素早くてなかなか網ですくえないので、まさに“岸壁採集家泣かせ”の魚です。泳ぎの速さだけでなく、**背びれと臀びれで長く糸を引く**という独特の姿も彼らの身を守るための工夫。これは、触手をもつ**クラゲに擬態している**と考えられています。漁港で上から見てみると、まさに**長い触手をもつアンドンクラゲにそっくり**。しかし、大きくなると擬態の必要はなくなるため、糸はだんだんなくなっていきます。

ハナヒゲウツボ

ヘンシン度 ●○○

オス・メス・こどもで三色変化！

父：どうも～、父です。

子：どうも～、こどもです。

父：なあなあ、うちらの名前、ハナヒゲって、これひどない？

子：せやな。**これヒゲちゃうで。鼻の穴が広がってるだけやねん。**

父：お前は特に広がりすぎやな。水吸い込みすぎなんとちゃう？ 顔色、まっくろやで。

子：ちゃうわ！ **まだ幼魚やから黒いねん。**それよりお父ちゃんこそ、名前のことで悩みすぎやで。顔、まっさおやん。

父：やっかましいわ！ **オスやから青くなってんねん！**

子：そうやった、そうやったな。**母ちゃんはまっ黄色やもんな。**

和名	ハナヒゲウツボ
分類	硬骨魚綱ウナギ目ウツボ科
大きさ	全長1.2m
生息地	高知県、和歌山県、琉球列島、インド・太平洋のサンゴ礁域

いきものメモ

ハナヒゲウツボは、海の世界では少数派の「**雄性先熟**」を行う魚。オスからメスに性転換し、それにともない**体の色が3段階で変化**します。幼魚は黒い体に黄色い背中、成長したオスは青い体に黄色い背中、さらに成長してメスになると全身黄色に変化します。鼻の穴が花びら状に広がっているのが特徴。他のウツボにくらべてヒラヒラクネクネと泳ぎ、その姿はまるで新体操のリボンのよう。英名は「リボンイール」で、**直訳するとリボンウナギ**。そのまんまですね。

第2章 ヘンシン

ゴマモンガラ

ヘンシン度 

ガリガリ噛みつく歯が生えます。

いいか？　ダイバーにかわいいとか言われても調子に乗っちゃダメだぞ。オレたち天下のゴマモンガラだってこと忘れんな。縄張りに近づいてくるヤツがいたら、体あたりして噛みついてやれ。**オレたちは人間のウェットスーツも食いちぎれる強え歯をもってるんだからな。**

もちろん、オレも小さい頃はぷくっとしてかわいかったけどな、今じゃこの通り怖いものなしだ。

毎日歯を鍛えるためにサンゴに噛みついてな、たくさん修行して今の立派な面構えになったんだ。

オレのようになりたいか？　なら、日々の鍛錬を怠るなよ？

何でも噛みつく、アブナイ魚に！
ダイヘンシン！
おとな

和名 ゴマモンガラ

分類 硬骨魚綱フグ目モンガラカワハギ科

大きさ 全長70cm

生息地 神奈川県三崎〜琉球列島、インド・西太平洋のサンゴ礁域

いきものメモ

ダイバーさんに「**最も恐ろしい魚は何か？**」と尋ねると、意外にもサメやウツボではなく、ゴマモンガラだという答えを多く聞きます。幼魚の頃は白黒模様でちゅんとした口のかわいらしい顔。しかし成長すると貝なども**噛み砕く強い歯**をもち、いかにも気性の荒そうなコワモテに。特に産卵期には、縄張りに近づくダイバーたちに容赦なく噛みついてきます。ウェットスーツも噛みちぎる鋭い歯は、噛まれると大怪我をする危険性もあるので、**彼らに出会ったら要注意！**

ホグフィッシュ

ヘンシン度 MAX!

★6~7ページのクイズの答え：E

大きなお口はおとなの証！

ハーイ、ワタシ、「ホグフィッシュ」ト申シマース。「豚魚」トイウ意味デース。名前ニ不満ガアリマース。

全然、豚ニ似テナイデース。太ッテモナイデース。モットカワイイ顔ナラ、セメテ「ピッグフィッシュ」ダッタカモシレナイデース。「ホグ」ハ、ガツガツ食ベルデッカイ豚トイウ意味デース。同ジ豚デモ、格差ガアリマース。不満デース。

オット、ワタシノ口ガ気ニナリマスカ？ ソウデス、ワタシガ妖怪口裂ケ魚デース。ハハッ！ 小サイ頃ハオチョボ口デース。デモ、イマハコンナンデース！

英名	ホグフィッシュ
分類	硬骨魚綱スズキ目ベラ科
大きさ	全長91cm
生息地	西・北大西洋、北メキシコ湾、南米北部のサンゴ礁域

いきもの メモ

日本ではなじみの薄いホグフィッシュ 。でも、じつは海や水族館でよく見られるベラの仲間です。ベラの仲間は、成長すると「性別が変わる」「色が変わる」「コブができる」など、さまざまなヘンシン術を見せてくれますが、ホグフィッシュのヘンシンはひと味違います。おすまし顔の幼魚が約1メートルもの巨体になり、**口が巨大化**するという…。写真映えするため、海外では釣り人に大人気。口をパカッと開け、大きさを強調して写真を撮る方が多いようです。

トラフザメ

ヘンシン度

こどもは虎柄、おとなは豹柄。

え～鮫という字は、「交尾する魚」と書きます。ハイ、では「さめ」という言葉は何を表しているでしょう？　ヒントは先生を見てください。体が大きいのに何かが小さい…。そう、目ですね。「小目」と書いて、「さめ」。

え～言葉には、すべてきちんと意味があります。例えば先生の名前。**トラフというのは、先生の模様を表しています。ハイ、虎と斑ですね。**ほらそこ、何を騒いでるんですか？　虎より豹に似てるって？

「このっ、バカチンが～！」**若い頃の先生は、くっきりした虎模様だったと前に教えたはずです。**勉強し直しなさい！

和名	トラフザメ
分類	軟骨魚綱テンジクザメ目トラフザメ科
大きさ	全長3.5m
生息地	南日本〜南シナ海、インド・西太平洋のサンゴ礁域

いきものメモ

サメをはじめとする**「軟骨魚類」は、オスとメスが交尾をする魚**。メスが産んだ卵にオスが精子をかけて**体外受精する、「硬骨魚類」**の繁殖法とは異なります。恐ろしいイメージをもたれがちなサメですが、それは映画の中での話。案外、トラフザメのようにおとなしくて海底でじっとしているタイプのサメも多くいます。和名では幼魚の虎柄と成魚の斑柄からトラフザメとなっていますが、英名は「ゼブラシャーク」。よほど幼魚の頃の縞模様が印象的なのですね。

ヒョウモンオトメエイ

ヘンシン度

そっくり親子も微妙に変化！

みんなぁー、あたしたちを見てぇー、**親とそっくりとかって言うけどぉー、マジありえないんですけどぉー！** **模様全然違うしぃー。親は豹柄だからぁー。あたしは水玉なんですけどぉー。**

あとぉー、名前オトメだからって期待しすぎぃー。性格まで乙女だと思われても迷惑うー。親だってやんちゃなイケイケファッションじゃん？ 親があれだし、あたしもとーぜんギャルっしょ！ **体型似てんのは当たり前じゃん。**そんなんより、あたしにとって**大事なのはファッションの柄なワケ！** わかったぁー？

和名	**ヒョウモンオトメエイ**
分類	軟骨魚綱トビエイ目アカエイ科
大きさ	体盤幅1.8m
生息地	沖縄〜インド洋の熱帯・亜熱帯海域のサンゴ礁域砂底

いきものメモ

模様は多少変わったとしても、親とそっくりな姿で生まれる魚がいます。サメやエイの仲間に多いのですが、その理由のひとつは「**卵胎生**」という生まれ方です。海水魚の多くは大量の卵を産み、そのごく一部が育てばよいという方法をとります。こうした「卵生」の魚は未熟な状態で生まれ、ヘンタイしながら少しずつ親の姿に近づきます。一方、サメやエイの仲間の一部は、胎内で卵を孵化させある程度成長した状態で出産します。より強い赤ちゃんを数匹産む、いわば少数精鋭型。この世に**誕生するときには、すでに親と似た姿**をしています。自力で食べ物を獲れる状態まで、育っているのです。

わくわく！

カリブ通信

原寸大幼魚写真館

全部本当の大きさ！

岸壁採集しやすい幼魚を、季節ごとにご紹介します。どれも実際に僕が漁港で出会った魚たち。ぜひみなさんも岸壁へでかけ、たくさんの幼魚を見つけてください！

春

水温が上がると、プランクトンが大量発生。それを食べる稚魚が多く生まれる。

5〜6月

ダンゴウオ

深場に移動する途中、夜の海面に現れる。

3〜4月

ホウボウ

海面下 20 センチ付近を漂う姿は、黒い虫のよう。

1〜2月

イダテンカジカ

海藻のアオサに似た黄緑色で海面を漂う。

冬

海の中の季節は 2 か月遅れ。まだまだ色鮮やかな魚たちが泳ぎまわっている。

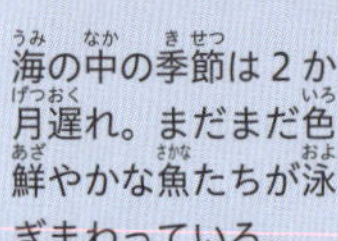

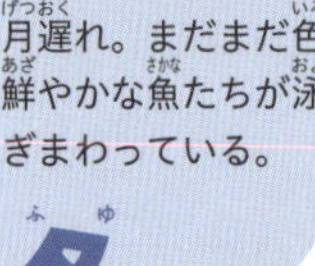

12月

ニシキベラ

目立つ配色で岸壁沿いをスイスイ泳ぎまわる。

12月

ハオコゼ

岸壁に多くいるが、毒のトゲをもつので要注意。

8～9月

ソラスズメダイ

大群でいるが、素早いので上級者向け。

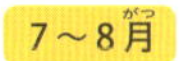

7～8月

アオサハギ

岸壁沿いに現れる、ふっくらしたカワハギ。

夏

南の海から海流に乗ってやってくる幼魚たちが漁港をカラフルに彩る。

9月

ツクシトビウオ

海面すれすれにいるので波紋で見つけられる。

9月

ナンヨウツバメウオ

枯葉そっくりな体を海面に水平にして浮かぶ。

枯葉に擬態する幼魚が乱舞し、泳ぎの苦手な幼魚が秋風にもまれ流されてくる。

秋

10～11月

ミナミハコフグ

泳ぎが苦手なので流されてくる。黄色が目立つ。

11～12月

キリンミノ

夜の岸壁に海藻のような姿でくっついている。

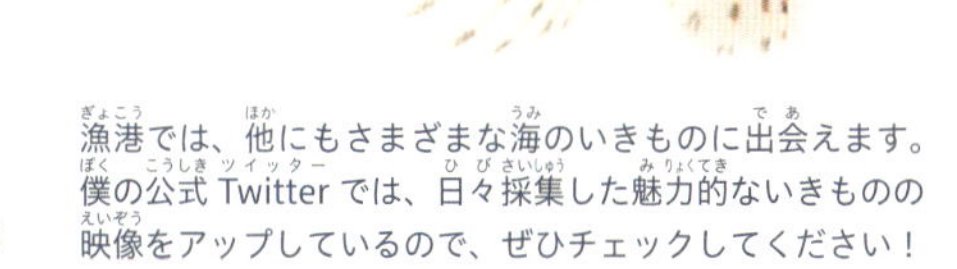

漁港では、他にもさまざまな海のいきものに出会えます。僕の公式 Twitter では、日々採集した魅力的ないきものの映像をアップしているので、ぜひチェックしてください！

第3章 ヘンテコ

わたしたち、ちょっと**ヘンテコ**なんですよ。

この章では、生態や行動の様子がユニークで、
一風変わったエピソードをもった海のいきものをご紹介します。
思わず笑ってしまうようなヘンテコな特徴もありますが、
それも過酷な環境を生き抜くための工夫が詰まった進化の形。
笑いあり、涙ありのヘンテコワールドへようこそ！

動いて楽しい！ パラパラアニメ③

カクレクマノミのお散歩

第3章 ヘンテコ

カクレクマノミ

ヘンテコ度

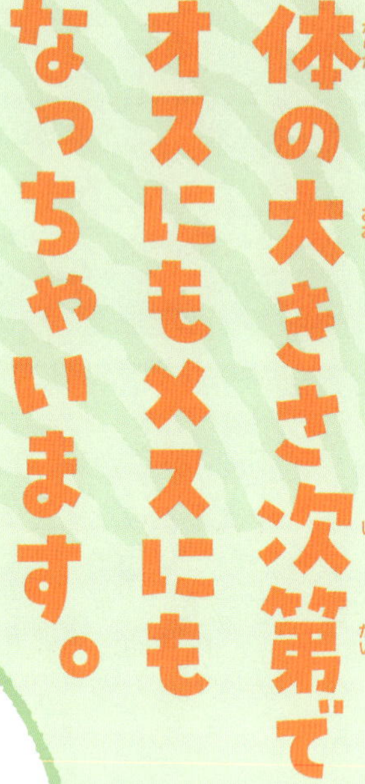

体の大きさ次第でオスにもメスにもなっちゃいます。

～拝啓　5年前の自分へ～

ごきげんよう。わたしはおとなになったあなたです。5年前、まだ体が小さかった頃は「恋愛ができない！」と嘆いていましたね。でも、安心してください。

あなたはもうすぐ**群れの中で二番目に体が大きくなり、立派なオスに**なって美しい奥さんと結ばれます。さらにその後**群れで一番体が大きくなり、今度はメスに**なって立派なお母さんになるのです。

今はたくさんの子宝に恵まれて、幸せな老後を過ごしています。どうかごはんをたくさん食べて、体を大きくしてください。**体の大きさが、運命を決めるのです…！**

和名	カクレクマノミ
分類	硬骨魚綱スズキ目スズメダイ科
大きさ	体長8cm
生息地	琉球列島、東インド～西太平洋のサンゴ礁域

いきものメモ

第2章では、メスからオスへ性転換（雌性先熟）するスミレナガハナダイ（74ページ）、オスからメスへ性転換（雄性先熟）するハナヒゲウツボ（94ページ）を紹介しました。カクレクマノミは雄性先熟ですが、少し特殊。全員オスにもメスにもなれる状態で生まれ、**群れで体が一番大きい個体がメスに、二番目に大きい個体がオスに成熟。**メスが群れからいなくなると、二番目に大きかったオスがメスに、三番目がオスになります。その他の個体は、生殖活動に参加しません。

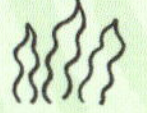

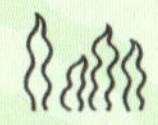

第3章 ヘンテコ

アシロ

ヘンテコ度 MAX!

腸がチョー長く出ちゃってます。

チョー役立つんですけど…!

チ ョーヤバくない? なんかチョー腸出てるんだけど。は? しまい忘れとかじゃないし! てか、おしゃれのためでもないから。チョー役に立つの、この腸。浮きやすくなるし、消化しやすくなるし、それに何か、いかにもヤバそうに見えるでしょー。近寄りたくなくなるでしょー。

そりゃ、内臓は大切だから守りたいけどさ。でも襲われたとき、体全部食べられたら終わりじゃん。だから出てんのかなー。ほら、「背に腹はかえられない」ってゆーじゃん。あれ? アタシの場合、「腹は身にかえられない」か。チョーウケるんですけどー!

学名	*Lamprogrammus shcherbachevi*
分類	硬骨魚綱アシロ目アシロ科
大きさ	体長1.9m(イラストの稚魚は11cm程度)
生息地	東インド洋、オーストラリア、南東太平洋、大西洋の海底

いきものメモ

深海魚の稚魚の中には、**腸の一部を体の外に出した状態で泳ぐ**ものがいます。この部分は「**外腸**」と呼ばれ、カレイやアナゴ、ワニトカゲギスの仲間などに多く見られます。なぜ、内臓むき出しの危険な姿をしているのか。明確な理由は未解明ですが、「表面積を増やし、浮力を保ちやすくするため」「消化効率をよくするため」「クラゲへの擬態」「敵に襲われたとき、トカゲのしっぽのように腸を食べさせ、逃げるため」など、さまざまな推測がなされています。

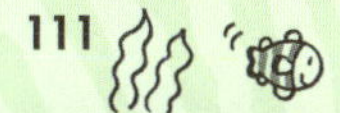

オオサルパ

ヘンテコ度 MAX!

自分の分身を大量に引き連れて泳ぎます。

海にはいろいろな忍術使いがおる。隠れ身の術を使うもの、他のいきものに姿を似せるもの、体を光らせるもの…。しかし、みな、わしの足元にも及ばぬ。

わしは分身の術が使える、上級忍者ぞ。**何十、何百もの自分の分身をつくり、ずらりと並べることができるのじゃ。**それはそれは長くなるぞ。

しかし困ったことに、戻り方がわからぬ。**ゆえに、分身した自分を全員引き連れて泳ぐことにした。**食事のときも、いつも自分の分身と一緒じゃ。目立っても構わぬ。**身を守るためではなく、子孫を残すための術なのじゃからな。**

和名 オオサルパ

分類 タリア綱サルパ目サルパ科

大きさ 単体の体長20cm

生息地 本州太平洋沿岸、全世界の外洋

いきものメモ

深海に多くすむサルパ。クラゲに似ていますが、**ホヤに近いいきもの**です。中でも大型のオオサルパは、かつて採集したときに触ってみたら意外と硬く、エコペットボトルに近い感触でした。サルパは驚くべき繁殖方法をとります。一匹が自分の**クローンを大量につくり（無性生殖）**、鎖のように連なって何メートルもある蛇のような形に。そして、クローンたちは**オスとメスの役割に分かれて有性生殖**を行います。これを繰り返すことで、どんどん増えていくのです。

ドウケツエビ

ヘンテコ度

おとなになったら、一生ここから出られません。

和名	ドウケツエビ	大きさ	体長約2cm
分類	軟甲綱十脚目ドウケツエビ科	生息地	相模湾以南の太平洋側、フィリピンの砂泥底

あなたは新婦を健やかなるときも、病めるときも、妻として愛することを誓いますか？

「はい、誓います。だって一生家から出られないんだもん。彼女と暮らすしかないでしょ」

あなたは新郎を富めるときも、貧しいときも、夫として愛することを誓いますか？

「はい、誓います。そもそも富むことも貧しくなることもないので。**食べ物は常に家に届くから、困ることはありません」**

それでは、新郎新婦が退場します。みなさん、大きな拍手でお見送りください！

「だから、ここから一生出られないんだってば!!」

まさに
結婚は
人生の墓場

いきもの
メモ

ドウケツエビは、ガラス質の網目のような骨格をもつ「**カイロウドウケツ**（偕老同穴）」※という**筒形の海綿動物**の中で暮らしています。幼生の頃にガラス質の網骨格から中に入り、成長すると外に出られなくなるのです。中に入るのは2匹だけ。最初は性別が決まっていませんが、やがてオスとメスに分かれ、中で繁殖します。敵に襲われず、網目にひっかかったプランクトンなどを食べるので食べ物にも困らない。意外とすみやすい環境なのかもしれません。

※偕老同穴とは、「ともに暮らして老い、死んだ後は同じ墓穴に葬られる」という意味。

タツノオトシゴ

第3章 ヘンテコ

ヘンテコ度

なんとびっくり！
お父さんが妊娠します⁉

和名 タツノオトシゴ
分類 硬骨魚綱トゲウオ目ヨウジウオ科
大きさ 高さ約10cm
生息地 青森県〜九州、朝鮮半島、黄海の沿岸藻場

あ、今お腹の中で動いたかも。よしよーし、元気に育ってるね。もうすぐ会えるね～、僕の愛しい我が子たち。

最近お腹がだいぶ張ってきたな。すれ違う魚たちがみんな「お父さん、おめでとう」って、声かけてくれるんだ。うれしいなぁ～。

本当はお腹をなでなでしたいところだけど、ひれがお腹に届かないから、代わりに毎日話しかけてるんだよ。

…もしもーし、僕のこどもたち。聞こえてるかな～？ **お父さんだよ。お母さんじゃないよ～。早くみんな、生まれておいで。**イケメンの…じゃない、イクメンのお父さんが、楽しみに待ってるよ～。

よーしよし、パパが守ってあげるからね！

いきものメモ

「**お父さんが妊娠する**」という、人間とはまるで異なる表現がぴったりなタツノオトシゴ。オスの**お腹には袋（育児嚢）**があり、メスはそこに卵を産みつけます。そして、孵化するまでオスが卵を守るのです。袋の中にはひだがあるため、見た目よりも表面積が大きく、卵を安全に包み込める構造になっています。**一度に数十から数百もの赤ちゃんを産む**というから、驚きですね。ちなみに、赤ちゃんは親と同じ姿で生まれ、すぐに海藻に巻きつき、プランクトンなどを食べ始めます。

メリベウミウシ

第3章 ヘンテコ

ヘンテコ度 ●●○

大きな口の割に狩りがへたっぴ。

やった！

（ばふっ）あれ～、また獲物に逃げられた～。惜しかったな～、今の。**僕さ～、口、すっごく大きいけど、動きが遅いんだよね～。**だから獲物を狙うときはね～、気づかれないように、抜き足差し足忍び足。でも、口をがばーって開くと、気づかれて逃げられるわけ～。

（ばふっ）やった～！ よーし、今度が口に入った～！ よーし、今度は飲み込むぞ～。あれ～、隙間から逃げられた～。**口をすぼめるとき、水と一緒に出ちゃうんだよね～。**よ～し、もう一回！

（ばふっ）やった～！ ハゼ捕まえた～！ むぐっ、もごもご、やめて～、口の中で暴れないでえ～！

和名 ムカデメリベ

分類 腹足綱裸鰓目メリベウミウシ科

大きさ 体長10cm

生息地 青森県〜九州、インド・西太平洋の岩礁域

いきものメモ

顔には頭巾のような大きく膨らむ口。背中には揚げ春巻きのような突起がついた奇妙な姿のウミウシ。ふだんは岩場や藻場を這って移動しますが、全身を大きくくねらせて泳ぐことも。彼らは大きな口を広げ、**投網のようにエビや小魚を捕食**します。捕獲した獲物が外に逃げないよう、口を閉じるとき周囲から触手のようなものを出します。獲物を食べるための機能は進化しているのですが、見ていると結構な確率で獲物に逃げられており、ほほえましい限りです。

第3章 ヘンテコ

チンアナゴ

ヘンテコ度 

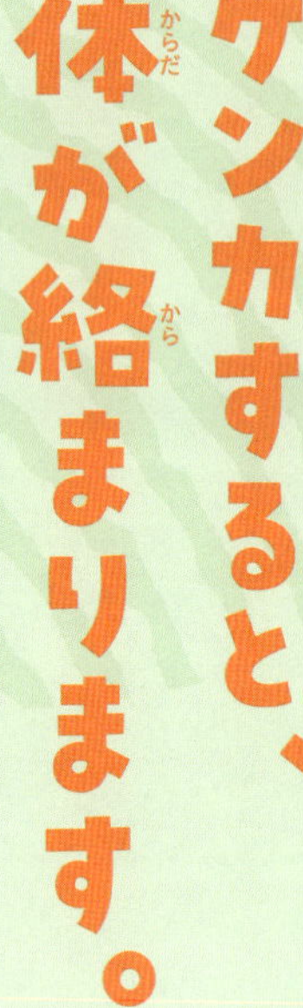

ケンカすると、体が絡まります。

ハナコ：**ちょっと！ そんな近くに巣穴掘らないでよ。**目の前でひょこひょこされると、うっとうしいんですけど！

ヨシコ：アンタこそ何よ！ ここはアタシがもともとすんでた場所よ。勝手に引っ越してこないでよ！

ハナコ：**ここの海流が一番いいの！ アタシより下流に行って！**

ヨシコ：なんでアンタに譲らなきゃなんないのよ！ あっち行かないなら、体あたりしてやる！

ハナコ：アタシだって！

ヨシコ：**ちょっと！ 体が絡まっちゃったじゃないの！** 余計近づいちゃったじゃない、早くなんとかしなさいよ～！

和名	チンアナゴ
分類	硬骨魚綱ウナギ目アナゴ科
大きさ	全長35㎝
生息地	静岡県、高知県、琉球列島、インド〜太平洋のサンゴ礁域砂底

いきものメモ

砂から**上半身だけを出して生活する**チンアナゴは、そのユーモラスな姿から水族館の人気者。全身を現すことは滅多にありません。水槽ではみんな同じ方向を向いている様子が見られますが、これは上流側を向いて、流れてきたプランクトンなどをキャッチして食べるため。省エネな生き方ですね。でもキャッチするときはちょっと頑張って首を伸ばすので、たまに隣の子と絡まってしまうことも…。**上半身だけでご近所さんとケンカする**姿も愛しいです。

第3章 ヘンテコ

クマサカガイ

ヘンテコ度 MAX!

貝殻で貝殻をデコります。

俺は怪盗クマサカ。深海の底を歩きまわって盗みを働く、伝説の大泥棒さ。俺は用心深いからな、盗んだものを隠したりはしない。**自分の貝殻にくっつけて運ぶのさ。そうすれば正体もバレにくいし、防具も強化される。**

だが、盗人にもこだわりがある。**俺は二枚貝専門。**中には巻貝や小石専門のヤツもいるぜ。**サンゴからサメの歯まで、落ちてるものを何でも盗む変わり者もいるけどな。**

でもな、そんな俺たち自身を盗んでいくヤツもいるんだぜ。人間だ。俺たちの貝殻ごと、コレクションしやがる。悪党にも、上には上がいるってもんだ!

和名	**クマサカガイ**
分類	腹足綱盤足目クマサカガイ科
大きさ	殻幅約10cm
生息地	東北地方以南の泥底

いきものメモ

まるで現代美術の作品のようなクマサカガイ。名前は平安時代の伝説に登場する**盗賊「熊坂長範」**からとられています。貝殻にものをくっつける理由は未解明。「カモフラージュのため」「殻を強化するため」「泥に沈み込まないようにするため」などと推測されています。個体によって、くっつけるものに好みがあるのも興味深いですね。貝殻についているものから深海の貝の分布状況が見えてきたり、新種の藻類が発見されたりと、**研究対象としても注目**されています。

ハリセンボン

ヘンテコ度

じつは針千本ありませんでした。

和名	ハリセンボン
分類	硬骨魚綱フグ目ハリセンボン科
大きさ	体長30cm
生息地	北海道〜琉球列島、世界中の熱帯〜温帯のサンゴ礁・岩礁域

おいおい、ちゃんと数えてくれよな？

300……

331

332

333

なんてこったい！　これじゃ足りないってことかい？　**おいら、正真正銘れっきとした針千本（ハリセンボン）だぜ？　なのに、針が千本ないだと!?**　よく数えてくんな。

…おいおい、針をこっそり抜いたりなんてしちゃいないぜ。ハリセンボンの名に恥じるようなことはしちゃいねぇよ。さあ、もっかい数えてくんな。

…はぁ？　333本だ？　さっきよりさらに減ってるのはどういうこったい！　あんまり細かいこと言わねぇで、もう四捨五入で千本ってことにしてくれやい。

…いや、四捨五入したってダメか、半分にも満たねぇか。

いきものメモ

怒ると水を飲んでパンパンに膨れ、全身トゲトゲになるハリセンボン。当然、針は千本くらいあると思いますよね。以前、知り合いが**剥製を使って実際に針の本数を数えた**そうです。一本ずつマジックで印をつけながら、地道に。すると、**針は333本**だったとのこと。他の調査でも、個体差はあるにせよ多くが「**350本前後**」だそうで、まったく千本に満たないのです。とはいえ、わかりやすく「ハリセンボン」と名づけたのはうまいですね。

第3章 ヘンテコ

テヅルモヅル

ヘンテコ度

海藻っぽいけど、動物なんです。

いいですか？ わたしの名前はテヅルモヅルです。

海藻ではありません。わたしはクモヒトデの仲間で、れっきとした動物です。

メデューサではありません。これは髪の毛ではなく、腕です。

宇宙からの侵略者ではありません。宇宙とは真逆の、深海にすんでいます。

山菜ではありません。腕の先のくるんと曲がってるところだけ、拡大するのはやめてください。

枝毛ではありません。プランクトンなどを効率よく食べるために、腕が枝分かれしているのです。

あと、テズルモズルではありません。**名前の由来は、植物の蔓です。漢字で書くと、手蔓藻蔓です。**

和名 サメハダテヅルモヅル

分類 クモヒトデ綱ツルクモヒトデ目
テヅルモヅル科

大きさ 盤の直径6.5㎝

生息地 相模湾以西の太平洋岸

いきものメモ

岩の上で腕を広げじっとしている姿は海藻のようですが、彼らは**クモヒトデの仲間**。モジャモジャで何が何だかわかりませんが、**腕のつけ根は5本に分かれ**ており、**体の中央部分は盤**といいます。先端にかけて枝分かれしていく腕は、プランクトンなどの食べ物を網のようにキャッチするために進化したもの。明るいときはまるまっていますが、暗くなると腕をいっぱいに広げ、意外なほど速く歩きます。ふだんは深海にいますが、夜は漁港に現れることも。

コオリウオ

ヘンテコ度 MAX!

氷点下でも凍らない体です。

そう…、コオリウオと名づけられたのね、わたし…。なぜ? 氷の海にすんでいるから? 血が氷のように透き通っているから? それは、わたしの本質じゃないわ。もっとありのままの姿を名前にすべき…。わたしは凍らない…。0℃より冷たくなる南極の海でも、決して…。だから、わたしはコオラナイウオと呼ばれるべきだったのよ…。

何…? あなたは別の考えをもっているの? 氷のように冷たい心を、僕が溶かしてあげる? さっき、わたしは凍らないと説明したわよね…。ねえ、どうして黙るの? 心って、何……?

和名	ジャノメコオリウオ	大きさ	全長52cm
分類	硬骨魚綱スズキ目コオリウオ科	生息地	南極海の海底

いきものメモ

普通、脊椎動物の血液には赤い色のもとである「ヘモグロビン」があり、酸素を体中に運んでいます。しかし、コオリウオにはヘモグロビンがないため、**血液は透明**。彼らの体に流れる液体成分（血漿）に酸素が溶け込み、全身に運ばれています。これを可能にしているのが、彼らのすむ海の冷たさ。気体は低温であるほど液体に溶け込みやすくなるため、冷たい環境は好都合なのです。さらに、彼らは**血液中に不凍タンパク質**をもつため、**氷点下でも体が凍りません。**

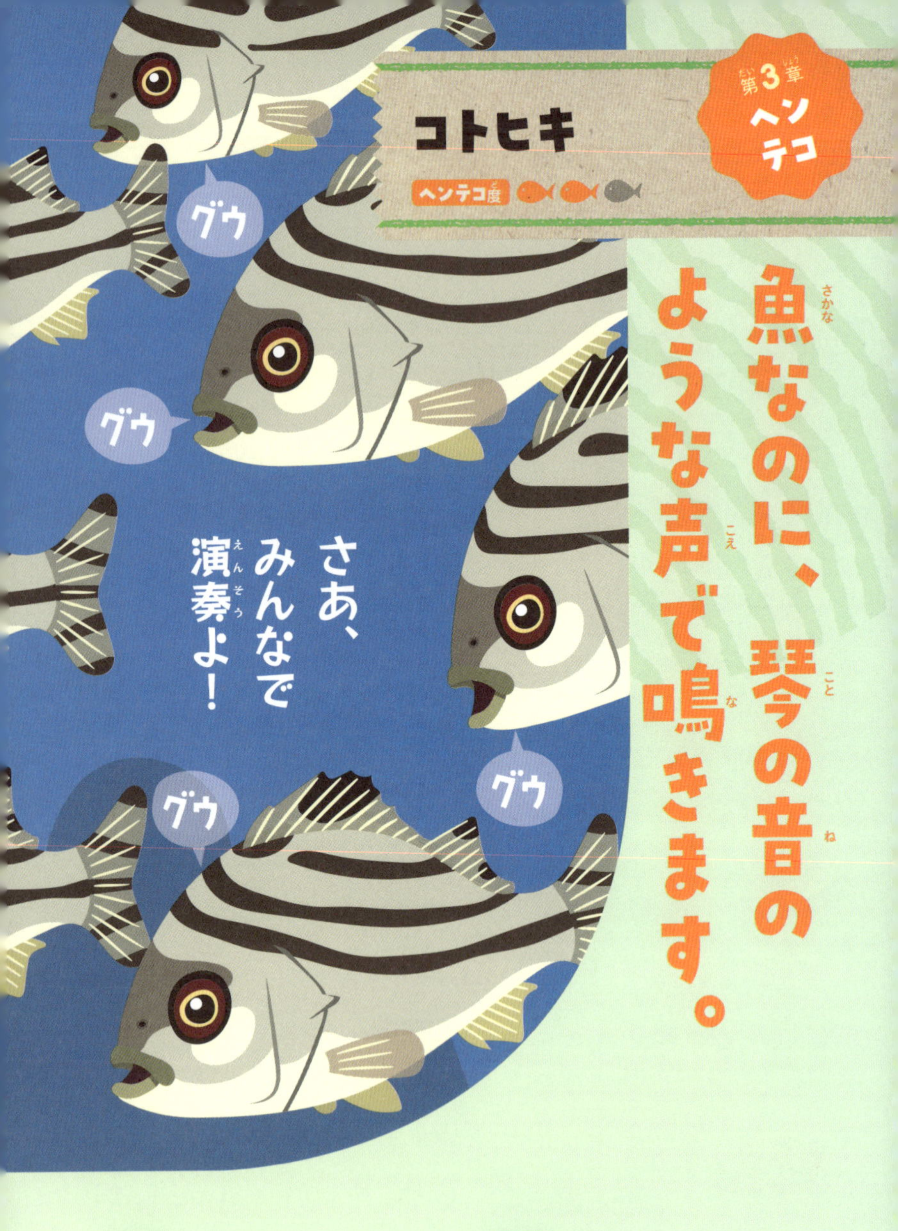

第3章 ヘンテコ

コトヒキ

ヘンテコ度

魚なのに、琴の音のような声で鳴きます。

和名 コトヒキ

分類 硬骨魚綱スズキ目シマイサキ科

大きさ 体長30cm

生息地 北海道～琉球列島、インド～西太平洋の沿岸～汽水域

いいコト？　お琴はね、とても格式高い楽器ですのよ。わたしを紹介するときは、もっと敬意を払って、ちゃんと「**おコトヒキ**」と呼んでちょうだい。あなたたちも**美しい演奏ができるようになりたい**なら、わたしのコトをもっと敬い、コト葉をコトごとく聞き逃さず、練習に励むように。

はい、それでは、わたしがお手本の演奏をします。しっかり聞くコト。（グゥ、グゥ）

……も、文句言わないでちょうだい！　**こんなもので、きれいな音なんて出ないわよ！　何が琴よ！　これうきぶくろよ？**　そんなコト言うなら、もっと質のいい楽器を持ってきなさいよっ！

いきものメモ

魚には、鳴くものがいます。正確には、**うきぶくろ**※を使って音を出すもの。第1章で紹介した「ボーボー」と鳴くホウボウ（28ページ）をはじめ、コトヒキを含むシマイサキの仲間がそうです。うきぶくろには**発音筋**という筋肉がついていて、これを振動させてコトヒキは「グゥグゥ」という音を出します。この音は**警戒音や威嚇音**だと考えられていますが、そこに琴の音色を見いだし「コトヒキ」と名づけたのは、日本人の粋な感覚ですね。

※硬骨魚がもっている気体の詰まった袋状の器官のこと。中の気体の量を調整することで、体を浮かせる力（浮力）を保つ。

第3章 ヘンテコ

ミックリザメ

ヘンテコ度

ごはんのときだけアゴが飛び出ます。

ごめん～仕方ないんだよ～

あわわわ、泣かないで。ごめんね、怖がらせちゃったね。

あーあ、またやっちゃった…。こどもが大好きだから一緒に遊びたいのに、僕の食事のときの顔を見るとみんな泣いちゃうんだよね。

でも、仕方ないんだ。**ごはんを食べるとき、反射的にアゴが飛び出して勝手に怖い顔になっちゃうんだ。**急にキレたわけでも、ガン飛ばしてるわけでも、悪魔がとりついたわけでもないよ。**泳ぎが遅いから、獲物に逃げられないように口が進化しただけなんだ。**

ほら、ふだんはこんなに穏やかな顔してるでしょ。こっちが素だからね。だから、一緒に遊ぼ～！

和名 ミツクリザメ

分類 軟骨魚綱ネズミザメ目ミツクリザメ科

大きさ 全長3.8m

生息地 千葉県～九州、オーストラリア、南アフリカなどの深海

いきものメモ

ヘラのように伸びた鼻先に、つぶらな瞳のかわいらしいミツクリザメ。獲物に噛みつくときは、ものすごく恐ろしい顔に変わります。この、アゴを高速で前に突き出す食べ物のとり方は「**パチンコ式摂餌**」と呼ばれ、下アゴが**動く速さは秒速3.14メートルで、魚類最速**。クリオネも同じように食事のときに豹変しますが（19ページ）、あちらは「流氷の天使」。一方、ミツクリザメは英名が「ゴブリンシャーク（悪魔のサメ）」。本人が知ったら、格差に腹を立てそうですね。

第3章 ヘンテコ

ダルマザメ

ヘンテコ度 MAX!

獲物をまあるくくり抜きます。

自慢の歯

見よ、わたしのこの歯並びを。まるで熟練の職人が丁寧につくったノコギリのようであろう。どんな大きな相手でも、この自慢の歯で食いちぎってくれるわッ！

さあ、よく見ておれ。わたしが巨大なクジラに食いつく雄姿を!!

（くりんっ）…うむ、満足だ。

ん？ もう終わりかって？ 何を期待していたか知らんが、わたしは小柄なサメだぞ？ クジラを全部食べるわけがないだろう。ひと口食べれば十分じゃないか。食べ物は減らないし、相手も死なない。しかも、わたしが削った美しいまるい印も体に残る!!

いいことばかりじゃないかッ！

和名	ダルマザメ	大きさ	全長50cm
分類	軟骨魚綱ツノザメ目ヨロイザメ科	生息地	茨城県〜琉球列島、世界の温帯〜熱帯域の表層〜深海

いきものメモ

きれいな歯並びが特徴のダルマザメ。多くのサメが自分より小さないきものに噛みついて食べるのに対し、彼らの食事方法は一風変わっています。吸盤のような口でクジラやマグロなど大型のいきものの体表に吸いつき、歯をあてて回転することで**肉の表面をまるくきれいに削ぎとる**のです。**傷は直径5センチほどのきれいな円形**。噛まれたほうは致命傷を負うわけではないので、傷跡を残したまま生きていくことになります。なかなか迷惑な話ですね。

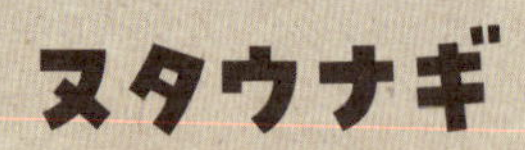

ヘンテコ度 MAX!

ヌタヌタの粘液で攻撃します。

こんにちはー！　清掃会社の者でーす。クジラの死骸の掃除にまいりましたー。

いえいえ、休みの日でも遠慮なくご依頼ください。ボクら年中無休で掃除してますんで。**ボクらが休みとると、深海は腐った死骸ばかりになっちゃいますからねー。**

あ、ちょっと、掃除の邪魔しないでください！　**怒らせると、めっちゃ粘液出しますよ？**　掃除しに来たのに、もっと汚して帰ることになっちゃいますから！

この仕事してるとね、サメに襲われることもあるんです。粘液は、敵を撃退する武器なんですよー。

和名	ヌタウナギ	大きさ	全長60cm
分類	ヌタウナギ綱ヌタウナギ目ヌタウナギ科	生息地	宮城県〜九州、朝鮮半島、中国、台湾の砂泥底

いきものメモ

大きな魚やクジラの死骸などに吸いつき中身を食べ尽くすので、「深海の掃除屋」と呼ばれています。ストレスを与えると**大量の粘液**を出し、それが海水と反応するとゲル状になります。ヌタウナギが入っている水槽に手を突っ込んでかき混ぜると、水から出した手は水かきができたようにヌタヌタに。粘液には、敵に襲われたときに**相手のエラをふさいで呼吸をできなくする**役割があります。粘液に含まれる繊維から新たな素材を開発しようと研究されていたり、皮がカバンや財布に使われ韓国などで人気があったりと、我々の生活に役立つ一面も。

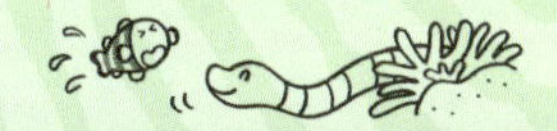

ヘンテコ度

武将の名前をつけられました。

おぬし…深海に来てまで、またもや我の前に姿を現すとは…。しかも、何だその出で立ちは。**我の鎧は渋い茶色だというのに、おぬしの鎧は鮮やかな赤！**まるで、敵軍として刃を交えたあのときと変わらないではないか。

あのときおぬしは確か、「極楽浄土では敵と味方ではなく、同じ蓮の姿になろう」と感動的な言葉を残していなかったか？

確かに同じ姿ではあるが、これでは印象が違いすぎるであろう。

美少年だったおぬしは、やはりどこまでいっても目立ちたがりなのだな。おぬしの言葉を信じた我が、愚かだった…。

和名	アツモリウオ
分類	硬骨魚綱スズキ目トクビレ科
大きさ	体長17cm
生息地	富山県、岩手県以北～オホーツク海、東シナ海の岩礁域・砂泥底

和名	クマガイウオ
分類	硬骨魚綱スズキ目トクビレ科
大きさ	体長16cm
生息地	兵庫県、岩手県以北～オホーツク海の岩礁域・砂泥底

いきものメモ

平安時代、一ノ谷の戦いで敵として戦った平家の若き武将・平敦盛と源氏側の武将・熊谷直実。熊谷は敦盛を討ちとりましたが、**能の演目である『敦盛』**の中では、後日談として敦盛の霊が「極楽浄土では同じ姿になろう」と約束の言葉を残して消えていくシーンが描かれています。その物語の続きが、まさか海底で繰り広げられるとは！　近い仲間に属するこの2種は、体型はほぼ同じですが色が違います。彼らに**敦盛と熊谷の物語**を見いだした、名づけのセンスに拍手！

ジョーフィッシュ

ヘンテコ度

口の中でお父さんが子育てします。

英名	イエローヘッドジョーフィッシュ	大きさ	全長10cm
分類	硬骨魚綱スズキ目アゴアマダイ科	生息地	西・中部大西洋、フロリダ〜南アメリカの砂礫底

「何見てんだよ、あっち行け！
こっちは子育て中なんだ。
近づいたら噛みついてやるからな。
なにぃ、顔がカエルみたいだと？
この美男子に向かって何てこと言うんだコノヤロー!!」

…と言ってやりたいけど、**口の中に卵が入ってるから何もしゃべれないや。**くうぅ、情けない…。

でも、これは父親の愛の証。赤ちゃんが孵るまで、決して卵を口から出さないと誓ったんだ。

どんなにバカにされようが、言い返さないぞ。どんなにお腹がすこうが、何も食べないぞ。

…あっ、**大好物のヨコエビが通った…！ 卵ぽいっ！ ヨコエビぱくっ！**

スイー

いきものメモ

彼らは器用に小石を運んで巣穴をつくり、メスが産んだ卵を孵化するまでオスが口の中で育てる「**マウスブリーダー**」（**口内保育**）。同じく口内保育をするネンブツダイのオスは、孵化するまで基本的に何も食べません。しかし、ジョーフィッシュには巣穴の奥に卵を隠し、獲物を食べた後でまた口に戻すという行動が見られます。子育てしながら効率よく栄養をとるのは、**巣穴をつくる魚ならではの特技**です。

第3章 ヘンテコ

ミツマタヤリウオ

ヘンテコ度 MAX!

こどももおとなもエイリアン!

おとなのメス

ちょっとそこのあんた、聞いてちょーだいよ。ほとんどの魚はさぁ、こどもの頃はエイリアンみたいな顔してたとしても、**成長したら普通の顔になる**もんでしょ? 逆に、かわいらしい子が**成長すると、エイリアンみたいになる**場合もあるわよねぇ。

でも、あたしの場合を見てごらんなさいよ。エイリアンが成長しても、別のタイプのエイリアンになるわけよ。**目がびよーんって飛び出た意味不明な顔から、キバのバケモノになる**のよ。やぁねぇ。

でも、**うちの旦那は鋭いキバも長いひげもなくて、全然エイリアン顔じゃない**の! やぁねぇ。

和名	ミツマタヤリウオ
分類	硬骨魚綱ワニトカゲギス目ミツマタヤリウオ科
大きさ	体長50cm（メス）、体長5cm（オス）
生息地	北海道〜土佐湾、小笠原諸島、北太平洋の温帯域の深海

いきものメモ

幼魚は目が激しく飛び出ていますが、理由は未解明。「視野を広げて食べ物を見つけやすくするため」「敵から身を守るため」などと考えられており、目は成長とともに顔の中に収納されます。メスがもつ内側に倒れる構造の鋭く長いキバは、捕らえた獲物を逃がさないための工夫。どちらのエイリアン顔にも、ちゃんと意味があります。一方、**オスの体長はメスの5〜7分の1程度**しかなく、内臓も不完全。オスは繁殖のためだけに生きる体をしているようです。

第3章 ヘンテコ

フエカワムキ

ヘンテコ度 MAX!

ウロコを食べていたら口が曲がりました。

ボク
右利きっス

深

海の笛吹き男こと、フエカワムキっス！　ハーメルンにも笛吹き男がいたそうっスね。彼が笛を吹くと、町中のこどもたちが彼の後についていっちゃうんだそうっス。

自分の場合は逆っス。自分がついていくんス。**他の魚の後をつけていって、ウロコ食べるんス。**

自分ら、それぞれ得意な方向ってのがあるんスよ。自分は右利きっス。**魚の左側からウロコ剥ぐんで、口が右に曲がってるんス。**小さいし泳ぎも速くないんで、そっと後をつけるのがポイントっス。

え、これストーカーっていうんスか？　じゃあ、自分それっス！

和名	フエカワムキ
分類	硬骨魚綱フグ目ベニカワムキ科
大きさ	全長18cm
生息地	茨城県～土佐湾、東シナ海、オーストラリア、アフリカの深海

いきものメモ

フエカワムキのように**他の魚のウロコを剥ぎとって食べる**変わった食性をもつ魚は「**スケールイーター**」と呼ばれます。個体によって利き手ならぬ「**利き口**」があり、魚を右側から襲う個体と左側から襲う個体がいます。それに合わせて口が左右どちらかにねじれており、左右非対称の構造をもった珍しい魚です。この個体差は、ある生活空間の中で互いに食べ物を奪い合わないですむための進化といわれており、こうした現象は「**食べ分け**」と呼ばれます。

リーフィーシードラゴン

第3章 ヘンテコ

ヘンテコ度 ●●○

いつも海藻のまねしてます。

信じる心さえあれば、何にだってなれる！　こどもの頃、お父さんにそう言われたわ。その言葉を信じて練習してたら、本当に変身できるようになったの。見ててね！

（わたしは海藻…わたしは海藻…ドロン！　海藻に…変身！）

…どう？　ううん、見た目は変わらないわよ、もともと海藻そっくりなんだから。言ったでしょ、大事なのは心よ。海藻に似てるのと、海藻になってるのとでは大きな違いなの。似てるのは生まれつきだけど、なれるかどうかは才能なの。誰にでもできることじゃないわ。わたしは特別なの！

英名 リーフィーシードラゴン

分類 硬骨魚綱トゲウオ目ヨウジウオ科

大きさ 全長35cm

生息地 オーストラリア南部の浅海

いきものメモ

本人は心が大事だと言っていますが、見た目だけで十分見事な海藻っぷり。**擬態するいきもの**の代表的存在です。ひれのようなヒラヒラが全身についていますが、泳ぐときに動かすのは**背びれと胸びれだけ**。タツノオトシゴに近い魚ですが、多くのタツノオトシゴ類と違ってしっぽを海藻に巻きつけることはできず、常に漂って生活します。オーストラリアに生息していますが、水質汚染や沿岸の開発などにより個体数が減っており、将来は**絶滅が心配**されています。

第3章 ヘンテコ

ホウズキイカ

ヘンテコ度 ●●● MAX!

内臓が手ブレ補正機能つき!

こんなふうに…

人間の科学技術も、ようやく俺に追いついたようだな。ずいぶん待ったぜ。俺は昔から最先端の手ブレ補正機能を備えてる。**俺はどんな体勢だろうと、内臓をまっすぐ立たせておけるんだ。**人間はカメラできれいな映像を撮ろうとかって楽しみのために開発してきたんだろ? そんなんだから、時間がかかんだよ。

こっちはな、命かかってんだ。**もし俺が手ブレしたら、内臓が影になってすぐに敵に居場所を気づかれて食べられちまうんだぜ。**人間も手ブレしたら地底怪獣に食われるくらいの緊張感で頑張れよ!!

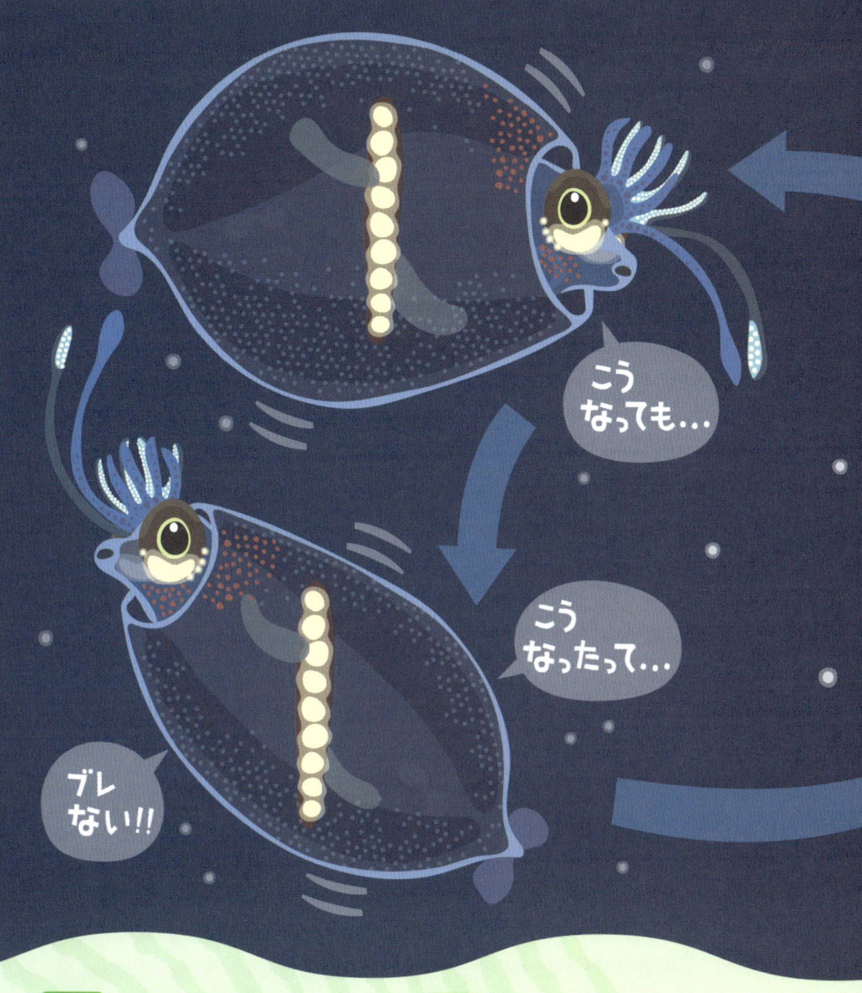

和名	サメハダホウズキイカ
分類	頭足綱ツツイカ目 サメハダホウズキイカ科
大きさ	外套長13cm
生息地	全世界の温帯域

いきものメモ

上向きに伸びる足が特徴のホウズキイカ。体は完全に透明ですが、内臓だけが不透明。これは、**食べた発光生物の光を外に漏らさない**ための工夫です。ただ、これだけだと細長い内臓部分がかすかに届く太陽光によって、影として浮き出てしまいます。下にいる敵に見つかってしまうのを避けるため、極力影ができないよう、**常に内臓を海面に対し垂直に立たせている**のです。まさに、カメラの手ブレを抑える**スタビライザーのような、驚くべきしくみ**です。

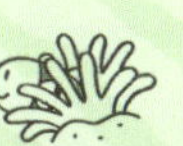

第3章 ヘンテコ

サクラマス

ヘンテコ度

育った場所で全部変わります。

え!?おねえちゃん?

こんにちは! あなたも河口でピクニックですか? へえ、海からいらしたんですか。銀色の大きな体がきれいですね。わたしはね、**昔このあたりで遊んでいたとき、姉とはぐれてしまった悲しい思い出がありまして。**姉とはそれっきり…。今も川の上流で暮らしてますが、姉を思い出すためにときどきこの河口を訪れるんです。

…え? あなたもここで妹さんとはぐれたんですか? 一年前の春ですって? もしかして…**サクラお姉ちゃん? うそ! 見た目が変わりすぎてて全然わからなかった。**まさか再会できるなんて! また一緒に川で暮らしましょ〜♪

感動の再会！

和名	サクラマス
分類	硬骨魚綱サケ目サケ科
大きさ	尾叉長70cm
生息地	北海道〜九州の川と海、朝鮮半島、オホーツク海

和名	ヤマメ
分類	硬骨魚綱サケ目サケ科
大きさ	全長30cm
生息地	北海道〜九州、朝鮮半島の河川

いきものメモ

同じ種類なのに、**海で成長するか川で成長するかで、大きさも顔つきも模様も、さらに名前まで変わってしまう魚**がいます。海に下る個体は、幼魚の頃の大きな斑紋が消えて銀色に。最大70センチほどの大きな体に成長し、サクラマスと呼ばれます。一方、一生を川で過ごす個体は、成長しても斑紋が残ることが多く、体長は30センチほど。こちらはヤマメと呼ばれます。海で成長したサクラマスのメスは、春に生まれ育った故郷の川に戻って産卵し、一生を終えます。

全国おすすめ水族館

海のいきものたちに会いに行こう！

海のいきもののおもしろい生態を知ったら、今度は実際に会いに行ってみよう！ 発見と感動と癒しに満ちた水中パラダイス・水族館へレッツゴー!!

水族館へでかけよう！

私たちが暮らす日本は、世界一の水族館大国。その数は100を超え、家の近所、旅行先、通学途中…多くの場所で水族館の存在に気づくでしょう。大水槽が魅力の館、いきものの自然な姿が見られる館、地域の海を再現した館など、その特徴はさまざま。また、水族館は研究施設という側面ももっているため、繁殖や成長過程など、館によって特色ある研究成果も展示されています。この本に登場したいきもののヘンタイの様子を、間近で見せてくれる館もあるでしょう。

ここでは、全国の水族館のごく一部を、おすすめポイントとともにご紹介します。この本を持って水族館をめぐってみましょう。実際に見ることができたいきものは、156ページのコレクションシートにチェックしてくださいね！

青森県
青森県営浅虫水族館

青森市浅虫字馬場山1-25　☎017-752-3377

ホタテやホヤの養殖風景を再現した斬新なトンネル水槽が特徴。目の前に広がる陸奥湾の豊かさを身近に感じられる。

宮城県
仙台うみの杜水族館

仙台市宮城野区中野4丁目6　☎022-355-2222

東北最大級のイルカ・アシカ・バードのパフォーマンスが魅力。世界三大漁場の三陸の海を再現した大水槽は迫力満点！

マクセル アクアパーク品川

港区高輪4丁目10-30 品川プリンスホテル内
☎03-5421-1111

映像、光、音…様々な科学技術をとり入れた展示に驚かされる。交通の便もよく、デートにもピッタリな新時代の水族館。

鶴岡市立加茂水族館

鶴岡市今泉字大久保657-1 ☎0235-33-3036

60種類以上のクラゲが幻想的な癒し空間を演出する世界一の「クラネタリウム」。ヘンタイの様子も解説されている！

横浜・八景島 シーパラダイス

横浜市金沢区八景島 ☎045-788-8888

テーマの異なる4つの水族館と、様々なアトラクションが家族みんなで楽しめる、「海・島・生きもの」のテーマパーク。

アクアワールド 茨城県大洗水族館

東茨城郡大洗町磯浜町8252-3 ☎029-267-5151

大小様々なサメが50種類以上展示されていて、サメ好きにはたまらない。水槽を悠々と泳ぐ様子はまるで、SF映画のよう。

新江ノ島水族館

藤沢市片瀬海岸2-19-1 ☎0466-29-9960

相模湾を再現したメイン水槽は、見る角度によっていろいろな顔を見せる圧巻の造り。希少な深海生物の展示も魅力。

鴨川シーワールド

鴨川市東町1464-18 ☎04-7093-4803

シャチのパフォーマンスはもちろん、南国の魚を横からだけでなく下からも見られるトロピカルアイランドもおすすめ！

京急油壺マリンパーク

三浦市三崎町小網代1082 ☎046-880-0152

巨大な回遊水槽では360度ぐるりと魚にとり囲まれる未知の体験ができる！ミュージカル仕立てのイルカショーも大人気。

しながわ水族館

品川区勝島3丁目2-1 ☎03-3762-3433

長いトンネル水槽が自慢の、都会の癒しスポット。ここを訪れると、東京湾がいかに魚が豊富かを知ることができる。

伊豆・三津シーパラダイス

沼津市内浦長浜3-1　☎055-943-2331

富士山が見える水族館。駿河湾にすむいきものを中心に飼育展示しており、館内のあちこちに自然との融合を感じられる。

新潟市水族館マリンピア日本海

新潟市中央区西船見町5932-445　☎025-222-7500

名前の通り、日本海の魅力を余すことなく伝える水族館。アカムツをはじめとする珍しい深海魚の展示も、ここならでは。

あわしまマリンパーク

沼津市内浦重寺186　☎055-941-3126

島にあるため、船で渡るところからワクワク！カエル館や富士山の眺め、島の散策など、魅力は館内だけに留まらない。

上越市立水族博物館うみがたり

上越市五智2-15-15　☎025-543-2449

大水槽やイルカスタジアムが日本海とつながって見え雄大な風景を作り出す。マゼランペンギンを間近で見られるのも魅力。

下田海中水族館

下田市3-22-31　☎0558-22-3567

入り江をそのまま使った自然の中の水族館。イルカが頭上をジャンプするアメージング・シートは、興奮間違いなし！

のとじま水族館

七尾市能登島曲町15部40　☎0767-84-1271

日本海側唯一のジンベエザメの展示や、イルカ・アシカショー、ペンギンのお散歩などが楽しめる、参加型水族館。

名古屋港水族館

名古屋市港区港町1-3　☎052-654-7080

日本最大級の面積を誇る建物に、日本最大のメインプールで行われるイルカパフォーマンス…。とにかく規模が圧倒的！

越前松島水族館

坂井市三国町崎74-2-3　☎0776-81-2700

水槽に入って魚と触れ合える「じゃぶじゃぶ海水プール」をはじめ、いきものとの距離が近づく工夫がされた展示が魅力。

島根県立しまね海洋館アクアス

浜田市久代町1117番地2　☎0855-28-3900

島根に伝わる神話を表現した大水槽にはたくさんのサメが泳ぐ。シロイルカがつくる「幸せのバブルリング®」は必見。

鳥羽水族館

鳥羽市鳥羽3-3-6　☎0599-25-2555

飼育種類数が約1200種で日本一を誇る水族館。ジュゴンを国内で唯一飼育しており、マナティーと両方見られるのも貴重。

市立しものせき水族館 海響館

下関市あるかぽーと6番1号　☎083-228-1100

フグとカワハギの仲間が好きな人にはたまらないマニアックな種類が揃っている。巨大プールでのペンギンの躍動は圧巻！

神戸市立 須磨海浜水族園

神戸市須磨区若宮町1丁目3-5　☎078-731-7301

ペンギン館、アマゾン館などテーマごとの展示が魅力！　ダイナミックな演技を披露する「イルカライブ」は必見！

大分マリーンパレス水族館「うみたまご」

大分市大字神崎字ウト3078番地の22　☎097-534-1010

大回遊水槽は横から下から、さらに足元からものぞき込める造りで、多彩な顔を見せる。いきものとの距離の近さも魅力。

みやじマリン 宮島水族館

廿日市市宮島町10-3　☎0829-44-2010

厳島神社にほど近い立地でスナメリなど瀬戸内海にすむ多くのいきものに会える。「カキいかだ」の展示も広島ならでは。

国営沖縄記念公園 沖縄美ら海水族館

国頭郡本部町字石川424　☎0980-48-3748

世界最大級の「黒潮の海」大水槽をジンベエザメやマンタが悠々と泳ぐ。サンゴ礁広がる浅瀬から深海まで、沖縄の海を再現。

マリホ水族館

広島市西区観音新町4丁目14-35　☎082-942-0001

商業施設内にある水族館。「生きている水塊」というテーマの通り、波の水槽も渓流水槽も、動きのある展示が特徴。

水族館めぐりが楽しくなる！

スペシャルミッション

海のいきものコレクションシート

INDEX

この本に登場したいきものが50音順に並んでいるよ。いきものの詳しい情報は掲載ページを見てね！

ミッション① この本に登場したいきものを見つけに、水族館や海へでかけよう！ 実際に見ることができたらマークに好きな色を塗り、自分だけのコレクションシートをつくってね！

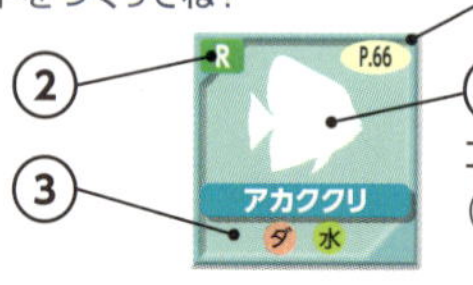

② 見つけやすさの難易度レベル

- **N ノーマル**（水族館や海でよく見られる）
- **R レア**（水族館や海でときどき見られる）
- **SR スーパーレア**（海釣りやダイビング、水族館の特別展などで見られたら、ラッキー！）
- **UR ウルトラレア**（博物館の標本や研究施設の特別公開などで見られたら、超ラッキー！）

③ 見られる可能性が高い場所や手段

- 水 水族館
- ダ ダイビング・シュノーケリング
- 釣 海釣り
- 市 市場・鮮魚店
- 岸 岸壁採集
- 博 博物館・研究施設（標本）

ミッション② 「海のいきもの博士アワード」に挑戦しよう！ レベルごとにコレクションマークをコンプリートして、アワードクリアを達成してね！

- **G グレート海のいきもの博士**（N 25種すべてをマーク）
- **S スーパー海のいきもの博士**（N・R 42種すべてをマーク）
- **M ミラクル海のいきもの博士**（N・R・SR 47種すべてをマーク）
- **L レジェンド海のいきもの博士**（この本で紹介した54種すべてをマーク）

ミッション③ 「海のいきもの博士アワード」をひとつでも達成できたら、僕のTwitterアカウントに報告してね。「#海コレ博士」と「@KaribuSuzuki」をつけて、色を塗ったコレクションシートの写真を撮って、画像をツイートしよう！

※ UR のいきものは生きた状態で見るのが困難。博物館などで標本展示を見る機会を狙おう！

おわりに

海のいきものたちのふしぎな世界をのぞいてみて、いかがでしたか？　それぞれのいきものが抱く想いに触れると、彼らにより親しみを感じられるのではないでしょうか。

本を読み終えたら、今度はみなさん自身が体験をする番です。彼らに会いに、海や水族館を訪れてみましょう。

水族館の水槽の中には、**小さく切りとられた広大な海の世界**が広がっています。そこには彼らが暮らす環境が再現され、いきものどうしの関係性も見ることができます。本だけではわからない、さまざまな気づきを得ることができるでしょう。

この本で紹介したいきものたちのユニークな生態は、**一匹のいきものの成長と命の物語**であると同時に、ひとつの種の中につむがれてきた生命の歴史の物語でもあります。長い長い進化の末にたどり着いた現在のいきものの姿から、私たちは**壮大な命の旅のダイジェスト**をのぞかせてもらうことができるのです。

どんないきものにも、命の物語がある。読んでくださったあなたにとって、この本がさまざまないきものの物語と出会うきっかけになれたら、とてもうれしく思います。

最後に、この本を書くにあたり多大なるご指導をいただいた世界文化社の大見謝さん、編集の宮本さん、イラストを通してたくさんの発見をくださった画家の友永先生、そしてこの本ができる過程に寄り添って力を貸してくださったすべてのみなさまに、心より御礼申し上げます。

鈴木香里武

著 鈴木 香里武（すずき かりぶ）

1992年3月3日生まれ、うお座。幼少期から魚に親しみ、さかなクンをはじめとする専門家との交流や様々な体験を通して魚の知識を蓄える。漁港で幼魚を採集する「岸壁幼魚採集家」として多くの生き物を観察・記録。荒俣宏氏が立ち上げた「海あそび塾」の塾長を務める他、大学院で観賞魚の癒し効果について研究を行い、「フィッシュヒーリング」を提唱。トレードマークのセーラー（水兵）服姿でメディア・イベント出演、執筆活動を行う傍ら、水族館の館内音楽企画など、魚の見せ方に関するプロデュースも行う。近著に『海でギリギリ生き残ったらこうなりました。進化のふしぎがいっぱい！ 海のいきもの図鑑』（KADOKAWA）がある。名前は本名で、名づけ親は明石家さんま。

おもな参考文献

『日本産魚類検索 全種の同定 第三版』（東海大学出版会）
『日本産稚魚図鑑 第二版』（東海大学出版会）
『小学館の図鑑Z 日本魚類館 ～精緻な写真と詳しい解説～』（小学館）

※その他、本書に登場するいきもののデータ（大きさや生息地など）は、
複数の文献や研究資料・著者の飼育観察記録や取材記録をもとに記載しています。

STAFF

- 絵（表紙・本文挿画）／友永たろ
- カリブくんキャラクターデザイン／すがわらあい
- パラパラアニメ制作／おおつききみえ
- 装丁・デザイン／鷹觜麻衣子
- 企画協力／小島洋一（Takanoプロモーション）
- 編集協力／宮本香菜
- DTP／株式会社 明昌堂
- 校正／株式会社 文字工房燦光
- 企画編集／大見謝麻衣子

わたしたち、海でヘンタイするんです。
海のいきもののびっくり生態図鑑

発行日　2019年12月5日　初版第1刷発行
　　　　2020年7月10日　　第2刷発行
著　者　鈴木香里武
発行者　秋山和輝
発　行　株式会社 世界文化社
　　　　〒102-8187　東京都千代田区九段北4-2-29
　　　　電話　03-3262-5118（編集部）03-3262-5115（販売部）
　　　　印刷・製本　株式会社リーブルテック

ISBN 978-4-418-19228-1